Whiplash

Angeli Poulssen

Whiplash

A.W. Bruna Uitgevers B.V., Utrecht

Illustraties
Wim van Egmond

ISBN 90 229 8282 3
NUGI 732

Met dank aan Ad van der Kouwe, Martin Roest, Hubert Carels en alle anderen die hebben bijgedragen aan mijn herstel en aan de totstandkoming van dit boek.

Inhoud

Inleiding

Wij mensen zijn eigenwijze wezens. Hoewel onze bouw berekend is op een looptempo van ongeveer vijf kilometer per uur, deinzen we er niet voor terug om met veel hogere snelheden over de autoweg te razen of om op ski's een steile helling af te suizen. Wanneer we ons met zulke hoge snelheden verplaatsen, dan lopen onze zwakste plekken grote kans beschadigd te raken. De nek is zo'n zwakke plek; het is een van de meest kwetsbare delen van het menselijk lichaam.

Jaarlijks worden duizenden mensen het slachtoffer van een ongeluk waarbij het hoofd een versnelde beweging maakt ten opzichte van de romp en de nekwervels verschuiven. Dit heet een whiplash, ook wel 'zweepslag', zoals de letterlijke vertaling van deze term luidt. Een whiplash komt in naar schatting tachtig procent van de gevallen voor na een verkeersongeval. Vaak betreft het een kopstaartbotsing, waarbij het hoofd een enorme zwiep maakt. De spieren, banden, gewrichten en weke delen rondom de wervelkolom, waar onder andere de bloedvaten en zenuwen zich bevinden, kunnen daarbij beschadigd raken. Dan is er sprake van een whiplashtrauma.

Bij de meeste whiplash-slachtoffers blijft de schade beperkt. De klachten zijn tijdelijk van aard en verdwijnen na een paar weken. Maar als het weefsel rondom de nekwervels ernstig beschadigd is, kunnen de klachten aanmerkelijk langer aanhouden. In circa drie van de tien gevallen heeft de patiënt meer dan zes maanden last van de gevolgen van een whiplash-trauma en in dat geval wordt de aandoening chronisch genoemd.

Hoewel het klachtenpatroon al in de jaren twintig werd beschreven door Amerikaanse wetenschappers, lijkt het whiplash-trauma op het eerste gezicht een nieuwe welvaartsziekte. Voorzichtige schattingen wijzen op tien- tot dertigduizend nieuwe gevallen in Nederland per jaar. De bladen haken in op de extreme groei van het aantal slachtoffers en publiceren een stortvloed aan artikelen over dit fenomeen, onder koppen als DE NIEUWE EPIDEMIE, MODEZIEKTE en DE FATALE NEKSLAG. Wie zelf een whiplash-trauma heeft, is meestal niet onverdeeld gelukkig met al die aandacht in de media. Mode of niet, het whiplash-trauma kan een flinke aanslag op de gezondheid zijn en de pijn die erbij hoort, is er niet minder om. Whiplash-patiënten worden graag serieus genomen en willen niet als trendvolgende aanstellers worden afgeschilderd. Het is echter wel noodzakelijk dat er zoveel mogelijk mensen geïnformeerd worden over de oorzaken en gevolgen van deze aandoening, omdat dit het begrip voor de patiënt bevordert.

De diagnose 'whiplash-trauma' roept meestal veel vragen op bij de patiënt en zijn omgeving. Dat zijn vragen als: 'Wat is het precies?', 'Welke klachten kan ik verwachten?', 'Welke behandeling is de juiste?' en vooral: 'Is deze aandoening te genezen en hoe lang gaat dat duren?' Veel mensen die met een whiplash-trauma te maken krijgen, hebben behoefte aan duidelijke informatie.
Het verbaasde mij als whiplash-patiënt en medisch journaliste, dat er zo weinig informatie over het whiplash-trauma voorhanden was. Ondanks het feit dat de aandoening sinds een aantal jaren meer erkenning en bekendheid heeft gekregen, was er nog geen algemeen boek dat aan patiënten en de mensen in hun omgeving uitlegt wat een whiplash nu precies is en wat eraan gedaan kan worden. Dit gebrek aan informatie inspireerde mij tot nader onderzoek en het schrijven van *Whiplash*. Het boek is in de eerste plaats geschreven voor whiplash-patiënten, maar daarnaast is het bedoeld voor familie, vrienden, kennissen en werkgevers van de patiënt. Vaak weet de omgeving niet wat de aandoening precies inhoudt waardoor het moeilijk is de juiste houding ten opzichte van de patiënt aan te nemen.
In dit boek zal op een heldere manier uiteengezet worden wat de oorzaken en gevolgen van een whiplash kunnen zijn. Daarbij komen niet alleen de medische aspecten van een whiplash-trauma aan de orde, maar wordt er ook aandacht geschonken aan de psychische gevolgen en aan de verzekeringstechnische en juridische kanten van deze aandoening. Het boek geeft globale informatie over een groot aantal zaken waar whiplash-patiënten en hun omgeving mee te maken krijgen en probeert inzicht te geven in de aard van de aandoening. De informatie is voornamelijk afkomstig uit interviews die ik gehouden heb met deskundigen en uit recente (medische) publikaties. Bovendien wordt de informatieve tekst

aangevuld met herkenbare verhalen van patiënten, die een goed beeld geven van de gemoedstoestand waarin ze verkeren of verkeerd hebben. In het boek komen de vragen aan de orde die whiplash-patiënten en hun naaste omgeving steeds weer aan hulpverleners stellen en waar vaak geen duidelijk, afdoend antwoord op te vinden is. Op een aantal vragen moet ook dit boek het antwoord schuldig blijven, omdat het verschijnsel whiplash zelfs voor de medische wereld nog veel geheimen kent. Dit handzame boek geeft basisinformatie op een heldere, niet al te moeilijke manier, zodat de tekst ook voor leken begrijpelijk is.

Dit boek geeft niet alleen informatie over de oorzaken en gevolgen van de aandoening zelf, maar geeft ook praktische adviezen voor de zaken die rondom het revalidatieproces geregeld moeten worden. De verhalen en ervaringen van (ex-)whiplash-patiënten kunnen wellicht een steuntje in de rug zijn voor de duizenden patiënten die de diagnose 'whiplash-trauma' van hun arts te horen krijgen. Misschien is het voor deze mensen een troost om te weten dat volgens de statistieken bij de meeste mensen het whiplash-trauma op den duur tot een acceptabel en leefbaar niveau vervaagt. Maar voor het zover is, moet er nog heel wat strijd geleverd worden en daarbij is informatie een belangrijk wapen.

1 Het begrip 'whiplash'

De leeuw kiest de zwakste schakel in het lichaam van zijn prooi: de nek. Hij scheurt zijn vangst niet aan stukken, maar neemt de nek van het dier tussen zijn machtige kaken en maakt dan een snelle, heftige schudbeweging. De nekspieren en -wervels van het slachtoffer zijn daar niet tegen bestand en de nek knakt. Het dier sterft letterlijk aan een extreme whiplash.
Ook bij de mens is de nek niet berekend op plotselinge, forse slingerbewegingen van het hoofd ten opzichte van de romp. En dat is nu juist wat er tijdens een aanrijding of een ski-ongeluk gebeurt. Onze nekspieren en gewrichten zijn er niet op ontworpen om de krachten die in zo'n geval op hoofd en nek worden losgelaten op te kunnen vangen.

Op deze manier legt professor Oosterveld, KNO-arts en whiplashdeskundige van het Academisch Medisch Centrum in Amsterdam, uit dat de nek onze zwakke plek is.

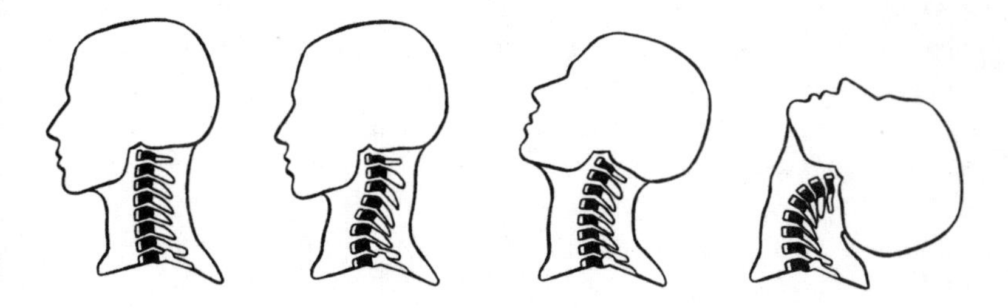

De beweging van hoofd en nek bij een achterwaartse aanrijding

Wat is een 'whiplash' nu precies? Een 'whiplash' of wel 'zweepslag' is de populaire naam voor een situatie waarbij door een plotselinge, extreme kracht die op het lichaam wordt uitgeoefend, het hoofd

met hoge snelheid heen en weer zwiept. Aan deze zweepslagachtige beweging, die voornamelijk voorkomt bij autobotsingen en sportongelukken, heeft de whiplash zijn naam te danken. Voor alle duidelijkheid: een whiplash is op zichzelf geen aandoening, maar de zweepslagachtige beweging kan beschadigingen in en rondom de nek tot gevolg hebben die weer aanleiding geven tot vele klachten. Die beschadigingen vallen onder de noemer 'whiplash-trauma'.
In de geïndustrialiseerde wereld is een auto-ongeluk, meestal een kop-staartbotsing, de belangrijkste oorzaak van een whiplash-trauma. De zeven wervels met 38 gewrichten en 44 spieren in onze nek die de taak hebben het hoofd rechtop te houden, zijn niet bestand tegen de enorme krachten die bij een botsing vrijkomen. Tijdens de aanrijding zwiept het hoofd, dat toch gauw vijf kilo weegt, met grote snelheid heen en weer. Vooral in drukke, verstedelijkte gebieden waar dit soort botsingen aan de orde van de dag zijn, lopen inzittenden van auto's veel kans op nekletsel. De whiplash is in landen met een groot wagenpark zelfs de hoofdoorzaak van blijvend letsel na een verkeersongeval, alle kreukelzones, snelheidsbegrenzers en airbags ten spijt. Het whiplash-trauma geldt als een typische aandoening van de twintigste eeuw, omdat het stijgende aantal patiënten voornamelijk een gevolg is van het snel groeiende gemotoriseerde verkeer.

Terminologie

Het whiplash-trauma is dus de verzamelnaam voor het geheel van beschadigingen aan spieren, gewrichten, botten, banden en weke delen in en rondom de nekwervels, dat ontstaat als gevolg van de whiplash. Hiervoor hoeft het hoofd niet in aanraking te zijn geweest met een ander object. Na een whiplash-trauma kan zich een heel scala aan klachten ontwikkelen, die in dit boek voortaan betiteld zullen worden als het 'whiplash-syndroom'. De patiënten met een whiplash-syndroom kunnen verschillende afwijkingen vertonen, waarvan de meest bekende klachten nekpijn, hoofdpijn, schouderpijn, duizeligheid en slaap- en evenwichtsstoornissen zijn. Het geheel aan symptomen dat samenhangt met een whiplash wordt in de literatuur op verschillende manieren aangeduid. Een lange naam waarin veel informatie is verwerkt is het 'non-contact-acceleratie-decelaratie-hoofd-nektrauma'. Deze naam geeft aan dat het hoofd een heftige achterwaartse en voorwaartse beweging

maakt ten opzichte van de romp, zonder dat het hoofd in aanraking is gekomen met een ander voorwerp. De 'nekverstuiking' is een meer alledaagse benaming die refereert aan een blessure van de gewrichten waar bijvoorbeeld sporters vaak last van hebben. Andere termen waaronder het whiplash-syndroom bekend is, zijn: het 'cervicaal zweepslagsyndroom', het 'traumatisch cervicaal syndroom' en het 'cervico-cefaal syndroom'. Deze termen hebben betrekking op de plaats van de beschadiging: de hals of in medische termen de 'cervix'.
In het buitenland is vooral het Duitse 'Schleuderverletzung' bekend; ook deze naam is afgeleid van de beweging die het letsel veroorzaakt. Uit Engeland komt de benaming 'cervical soft tissue injury', die verwijst naar de beschadiging aan de weke delen rondom de nekwervels. In de Verenigde Staten wordt het whiplash-trauma de 'traffic light disease' genoemd, een benaming die de situatie weergeeft waarin de meeste whiplash-trauma's ontstaan, namelijk terwijl het slachtoffer in de auto wacht voor een rood stoplicht.

Whiplash-risico

De kans dat een bestuurder of passagier tijdens de deelname aan het verkeer een nekletsel oploopt hangt af van factoren als de verkeersdichtheid in een land, de drukte op de wegen en het aantal malen dat er tijdens het reistraject gestopt moet worden. In de grote steden is de kans op een whiplash-trauma het grootst.
In bijvoorbeeld het zeer verstedelijkte en dichtbevolkte Japan komen meer dan 350.000 whiplash-letsels per jaar voor. Maar ook in de Verenigde Staten, Duitsland en Nederland groeit het aantal whiplash-patiënten explosief. De onderzoekers Forman en Croft (1988) schatten dat er voor het jaar 2000 in de VS één miljoen nieuwe whiplash-patiënten zullen zijn. In Nederland wordt het aantal botsingen die nek- en hoofdletsel tot gevolg hebben, op basis van politierapporten op 20.000 tot 25.000 per jaar geschat.

Afwijkingen rondom de nek als gevolg van een whiplash-trauma

Het hele gebied rondom de nek wordt tijdens een whiplash te zwaar belast. Zowel bij het extreem naar achteren buigen als bij het naar voren buigen worden de gewrichten en het weefsel eromheen kortdurend overmatig uitgerekt, zodat er allerlei beschadigingen kunnen optreden.

Spieren

De nekspier, met name de schuine halsspier, de halsribspieren, de monnikskapspier en de lange nekspier kunnen door een whiplash beschadigd raken. Het letsel kan variëren van kleine verrekkingen en bloedinkjes tot echte scheuren. Deze beschadigingen kunnen veel pijn veroorzaken. De gekwetste spieren kunnen echter door een goede behandelwijze weer herstellen van de zweepslag.

Spierletsel

Banden

Op de banden die de nekwervels op hun plaats houden, komt tijdens een whiplash te veel spanning te staan. Een aantal daarvan is maar enkele millimeters dik en wordt bij een al te heftige slingerbeweging opgerekt. Wanneer de inwerkende krachten groot zijn, kunnen deze banden gedeeltelijk inscheuren of, in zeer ernstige gevallen, zelfs helemaal afscheuren.
Dit geldt zowel voor de voorste lange band, die vooral beschadigd raakt door een achterwaartse beweging (overstrekking), als voor de

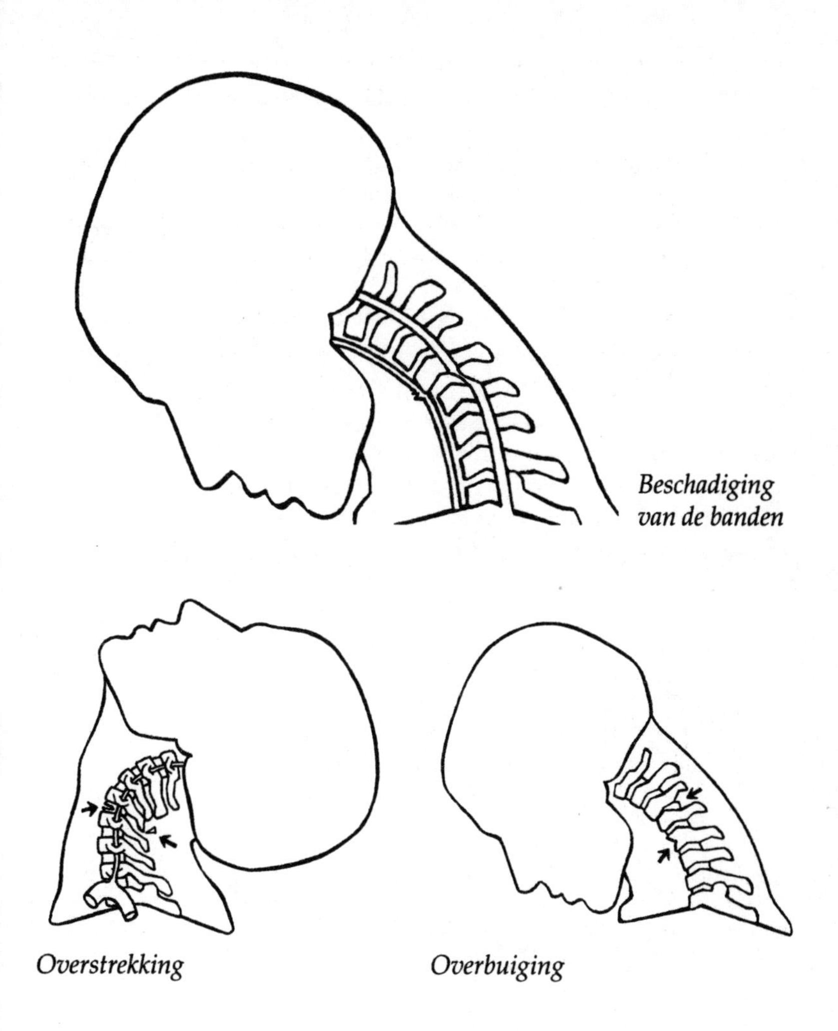

Beschadiging van de banden

Overstrekking

Overbuiging

achterste lange band, die kan scheuren bij een voorwaartse beweging (overbuiging). Beide banden lopen verticaal aan de voor- en achterzijde van de nekwervels en zorgen voor de stevigheid en beweeglijkheid van de nek.

Nekwervels
Door de beschadigingen aan de banden kunnen de nekwervels verschuiven en ontwricht raken. Als de wervelkolom tijdens een whiplash zo abrupt uitgerekt wordt, dan is de kans groot dat de weke delen die zich in en tussen de wervels bevinden, zoals de pezen, de tussenwervelschijven en de kapsels van tussenwervelschijven, gekwetst worden.

Ruggemerg
Als de nekwervels van elkaar schuiven, kunnen er ook beschadigingen ontstaan aan het ruggemerg. Deze beschadigingen zijn nauwelijks te herstellen. Zware beschadigingen van de zich in het verlengde van het merg bevindende hersenstam, kunnen zelfs verlamming of dood tot gevolg hebben. De ernstige neurologische afwijkingen die de patiënt vertoont, zoals evenwichtsstoornissen, vergeetachtigheid of concentratiezwakte, kunnen hierdoor worden verklaard.

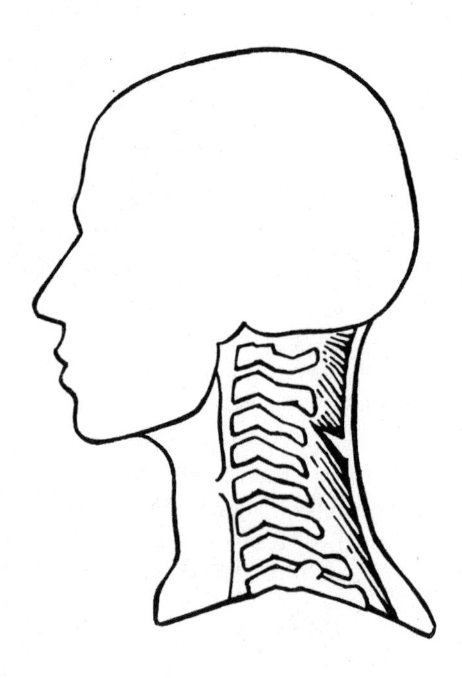

Beschadiging van het ruggemerg

Slokdarm
Een ander gevolg van een eventuele verschuiving in de wervelkolom is dat de slokdarm bekneld kan raken of kan gaan schuren tegen uitstekende botdelen. Dat levert vaak problemen op met slikken.

Kaken
De kaakgewrichten hebben voornamelijk te lijden onder het openklappen van de mond tijdens het ongeluk. Dan schiet het hoofd als een katapult naar achteren terwijl de onderkaak achterblijft. De kaakgewrichten zijn daar niet op gebouwd. Ze zijn te weinig elastisch voor een dergelijke abrupte beweging en kunnen dus ook beschadigd raken. Dit kan problemen geven bij het spreken en eten.

Hoofd- en halsletsel
Wanneer het hoofd tijdens het ongeluk met iets hards in aanraking komt, wat vooral voorkomt bij zij-aanrijdingen en sportongelukken, dan is er meestal sprake van de combinatie hoofd- en halsletsel. Door de klap verschuiven de hersenen en raken beschadigd. Door de heftige verplaatsing van de hersenmassa kunnen er allerlei bloedinkjes aan de oppervlakte ontstaan. Uit onderzoek is gebleken dat vooral de fronto-temporale zones, dat zijn de plekken in de hersenen waar alle functies met betrekking tot concentratie, aandacht en geheugen zitten, het meest kwetsbaar zijn voor dergelijke beschadigingen.
Ook als het hoofd bij de whiplash nergens tegenaan is gestoten, bestaat de kans dat de hersenmassa ten opzichte van de schedel is verschoven. De beschadigingen in de hersenen die daardoor ontstaan, zijn zo minuscuul dat ze ondanks de huidige geavanceerde scan-technieken niet of nauwelijks op te sporen zijn. Maar hoe klein de beschadigingen ook zijn, ze zitten in een zeer vitaal onderdeel van het menselijk besturingsapparaat en kunnen daardoor grote invloed hebben op het functioneren van de patiënt. De beschadigingen aan het centrale zenuwstelsel die door deze verschuivingen worden veroorzaakt, kunnen oorsuizen, hoofdpijn, duizeligheid en evenwichtsstoornissen tot gevolg hebben. Door de klap kunnen bovendien de banden, spieren en zenuwen aan de voorzijde van de nekwervels verschuiven en beschadigd raken.

Onderzoek

Hoewel de media vooral de laatste tien jaar over het whiplash-trauma berichten, is het in de medische wereld geen nieuw verschijnsel. Al in 1928 hield de Amerikaanse wetenschapper Harold Crowe in San Francisco een voordracht voor de Western Orthopaedic Association met als titel 'Injuries to the cervical spine'. Crowe introduceerde in zijn lezing, die later ook gepubliceerd werd, als eerste de term 'whiplash', waarmee hij een beschrijving gaf van de achter- en voorwaartse slingerbeweging van het hoofd die veroorzaakt werd door een kop-staartbotsing. Zijn lezing, die handelde over de beschadigingen aan de nekwervels door een acceleratie-deceleratie-ongeluk (met name bij achteraanrijdingen), staat te boek als de eerste beschrijving van het verschijnsel whiplash. Sinds deze publikatie zijn er honderden, zo niet duizenden onderzoeksprojecten opgezet om het raadsel van het complexe verschijnsel whiplash-trauma te ontrafelen.
Een typische eigenschap van het whiplash-trauma is dat de oorzaak van de klachten vrijwel niet objectief aantoonbaar is. Er vloeit geen bloed en er is geen wond of bult aan de buitenkant waar te nemen. Ook allerlei scan- en fotomethoden geven geen goede indicatie van de beschadigingen. De beschadigingen zijn zo minuscuul dat ze, zelfs met de modernste apparatuur, maar ten dele zichtbaar zijn. Het blijft vreemd dat zulke kleine, bijna onzichtbare, scheurtjes en bloedinkjes zulke ernstige gevolgen hebben. Tot op de dag van vandaag is er nog geen duidelijkheid over de achtergronden van het klachtenpatroon bij een whiplash-trauma.
Al in de jaren vijftig gaven de militaire autoriteiten in de Verenigde Staten het onderzoek naar whiplash-letsels prioriteit toen men ontdekte dat piloten die de zogenaamde katapultstart vanaf een vliegdekschip maakten, last kregen van ernstige hoofd- en nekklachten. Het onderzoek naar whiplash-trauma's nam in de overige geïndustrialiseerde landen vooral in de jaren zestig toe. Toen breidde het autobezit zich namelijk razendsnel uit en het aantal whiplash-trauma's steeg bijna evenredig. Om vat te krijgen op het probleem onderwierp men in de jaren zestig en zeventig zelfs rhesusapen en enkele vrijwilligers aan botsproeven in een laboratorium. Tegenwoordig verkrijgt men veel informatie uit patholoog-anatomisch onderzoek op overledenen die een whiplash hebben gehad. Door zeer dunne schijfjes uit de hersenstam te snijden en die onder een enorme microscoop vele malen te vergroten, kan men de minuscule

scheurtjes, putjes en puntbloedinkjes in de weke delen waarnemen. Zo kan aangetoond worden dat een whiplash allerlei beschadigingen kan veroorzaken. Het is echter nog steeds onduidelijk of deze beschadigingen ook de oorzaak zijn van allerlei klachten die kunnen voorkomen bij een whiplash-trauma. Hoeveel onderzoek er inmiddels ook gedaan is en hoe omvangrijk het aantal wetenschappelijke publikaties nu al is, het heeft nog niet geleid tot een overeenstemming tussen de medici onderling over de oorzaken en gevolgen van het verschijnsel whiplash.

Theorieën

In de medische wereld is een aantal theorieën ontwikkeld over hoe beschadigingen van het centrale besturingssysteem na een whiplash tot stand komen en wat voor invloed ze hebben op het functioneren van de patiënt. Sommige onderzoekers menen dat de bloedvaten door de verschuiving van gewrichten en spieren in de verdrukking raken en daardoor de hersenen niet meer voldoende van zuurstof en voedingsstoffen kunnen voorzien. De hersenen kunnen daardoor (tijdelijk) minder goed het lichaam besturen. Anderen zoeken het meer in de beschadiging van het centrale zenuwstelsel, waardoor het systeem van ontvangen en versturen van prikkels naar de rest van het lichaam niet goed meer werkt. En een derde groep denkt dat het klachtenpatroon vooral voortkomt uit het niet meer goed functioneren van het evenwichtssysteem, dat wordt veroorzaakt door beschadigingen van de zenuwkernen die onze bewegingen nauwkeurig regelen. Wellicht is een combinatie van deze drie mogelijkheden de oorzaak van de klachten, of zijn er nog andere oorzaken die tot op heden niet ontdekt zijn.

Lichamelijke oorzaak

Door alle nieuwe ontwikkelingen in onderzoekstechnieken is men een stuk verder dan een aantal decennia geleden, toen men dacht dat whiplash-patiënten voornamelijk neuroten, depressievelingen en aanstellers waren, die achter een verzekeringsuitkering aanzaten. Omdat de klachten neurologisch niet aantoonbaar zijn, waren de medici toen van mening dat ze ofwel niet bestonden ofwel dat ze puur psychisch waren. Nu onderzoekers echter wereldwijd steeds weer hetzelfde klachtenpatroon bij whiplash-patiënten herkennen, raakt men er steeds meer van overtuigd dat de klachten die veroorzaakt worden door een whiplash-trauma ook een lichamelijke oorzaak hebben. De klachten zijn echter zo divers, dat

alleen een team van deskundigen de lichamelijke, psychische en sociale factoren die eraan ten grondslag liggen, kunnen onderkennen en behandelen.
Professor Oosterveld zegt hier het volgende over.

Er zijn zoveel aspecten met betrekking tot het whiplash-trauma waar we nog niet voldoende onderzoek naar hebben gedaan. Neem nou bijvoorbeeld de hormonale afwijkingen. Er zijn veel vrouwelijke whiplash-patiënten die opeens heel onregelmatig ongesteld zijn of helemaal niet meer ongesteld worden. Echte verklaringen voor dit fenomeen zijn nog niet gevonden, maar het zou te maken kunnen hebben met een mogelijke beschadiging van de hypothalamus, waarin zich regulerende centra bevinden. Dit orgaan heeft een sturende werking op onder andere emoties, karakter en liefdesleven.
Een ander voorbeeld is het voor het whiplash-trauma zo typische vertragingseffect. Het is normaal dat je niet meteen pijn voelt wanneer je gewond bent geraakt. Iemand die een steek van een mes krijgt, merkt meestal pas aan het bloeden van de wond dat hij geraakt is. De pijn komt pas enkele seconden later. Bij een whiplash-trauma gaat het niet om seconden, maar om dagen of zelfs weken. Veel neurologen zeggen dat je binnen 72 uur pijn moet voelen wanneer je een whiplash hebt gehad. Maar ik heb patiënten gehad waarbij de pijn pas weken later kwam. Niemand heeft hiervoor een sluitende verklaring. Het klachtenpatroon van de whiplash-patiënten is zo complex, dat er echt veel meer aan de hand moet zijn dan alleen een verstuikt werveltje. In het Academisch Medisch Centrum doen wij nog steeds veel onderzoek naar de gevolgen van een whiplash-trauma. Vaak is er een groot verschil tussen de ernst van de klachten en de medische bevindingen. Houd de Engelse zegswijze voor ogen: *The absence of proof is not the proof of absence* (de afwezigheid van bewijsmateriaal, is nog niet het bewijs voor de afwezigheid van de aandoening).

2 *Mogelijke oorzaken van een whiplash-trauma*

Als iemand een whiplash-trauma heeft, is er vrijwel altijd sprake geweest van een harde botsing. Vaak zijn het twee partijen die met elkaar in botsing komen, waarvan de één stilstaat en de ander een bepaalde snelheid heeft. Maar het kan ook zo zijn dat beide partijen in beweging zijn als de botsing plaatsvindt. De situaties waarin er sprake is van een botsing kunnen in allerlei variaties voorkomen: een skiër die tegen een boom glijdt, een auto die op een stilstaande motorrijder rijdt, een voetballer die de ander in de rug springt, een zeiler die een giek tegen zijn hoofd krijgt, of een olifant die een verzorger met zijn slurf in de nek slaat. Dit zijn stuk voor stuk situaties die een whiplash-trauma kunnen veroorzaken.
Hoewel het whiplash-trauma dus verschillende oorzaken kan hebben, zijn toch vrijwel altijd auto-ongelukken de boosdoener. Meestal gaat het om achteraanrijdingen in de bebouwde kom en veel minder vaak om kettingbotsingen op de snelweg. Het is duidelijk dat het whiplash-trauma een echte ongevalsziekte is en derhalve niet erfelijk is.

De klassieke whiplash-veroorzaker: de kop-staartbotsing

Een typische whiplash-situatie: er staat een auto te wachten voor een rood stoplicht. De bestuurder van de achteropkomende auto let even niet op en botst op de wachtende auto. Daarbij komen extreme krachten vrij. Als bijvoorbeeld een auto op een stilstaande auto inrijdt met een snelheid van 50 km per uur, dan veroorzaakt dit bij de inzittende van de stilstaande auto een achterwaartse versnelling van het hoofd tot 250 km/u. Omdat een ongeval in 1/20 deel van een seconde plaatsvindt, krijgen de spieren niet de kans om te reageren en zich 'schrap' te zetten. Het hoofd slingert naar achteren en trekt daardoor aan de nekwervels. Daarna is er weer een versnelling naar voren. Het hoofd wordt naar voren geslingerd en opnieuw verschuiven de nekwervels en de daaromheen liggende banden. Door deze overstrekking van de nek ontstaat het whiplash-trauma.

Beweging bij een achteraanrijding

Drie jaar geleden overkwam de op dat moment vijfentwintigjarige journaliste Graziella Runchina het klassieke type whiplash-ongeluk.

> Ik stond in de rij voor het verkeerslicht. Achter mij kwam een auto met een vrij normale snelheid aanrijden. In de achteruitkijkspiegel zag ik dat de bestuurder in gesprek was met zijn passagier en dat hij zijn aandacht niet bij het verkeer had. Dat gaat mis, dacht ik nog, maar voordat ik tijd had om me schrap te zetten, knalde de auto achter op de mijne. Daardoor botste ik weer op mijn voorganger. Ik was behoorlijk geschrokken en stond te trillen op mijn benen. Samen met de bestuurders van de andere auto's heb ik de schadeformulieren ingevuld. Ik had verder gelukkig nergens last van. Later op de middag heb ik nog iemand geïnterviewd en 's avonds ben ik zelfs naar een popconcert gegaan. Geen centje pijn.
> Toen ik de volgende ochtend met hevige hoofdpijn en een stijve nek wakker werd, ben ik toch maar naar de huisarts gegaan. Die

hoorde mijn verhaal aan en constateerde een whiplash. Mede dankzij de voorgeschreven fysiotherapie, herstelde ik binnen tien weken. De fysiotherapeut heeft mij eigenlijk alleen met warmtepakkingen behandeld en mijn nek en schouders licht gemasseerd. Het is nu ongeveer drie jaar geleden en ik heb er geen noemenswaardige klachten aan overgehouden. Ik zorg nu wel dat er in mijn auto een goed afgestelde hoofdsteun zit. Die had ik toen niet.

In zeven van de tien gevallen is het ziekteverloop na het ongeluk zoals hierboven beschreven. Het slachtoffer heeft na ongeveer twaalf weken geen last meer van de gevolgen van de whiplash. In de meeste gevallen hoeven mensen die het slachtoffer zijn geworden van een zij- of achteraanrijding zich dus geen ernstige zorgen te maken.
Soms is het zo dat de nekwervels van een patiënt al verschillende malen licht zijn verschoven als gevolg van een zweepslagbeweging. Daardoor kan de nek een extra zwakke plek in het lichaam zijn geworden. Bij een volgende botsing is de nek dan nog minder dan normaal berekend op de klap en treden er ernstige beschadigingen op.
Marion Koper, gymnastieklerares en moeder van twee kinderen, heeft een whiplash-trauma dat kan zijn voortgekomen uit drie ongelukken.

In 1973 maakte ik een verkeerde beweging tijdens het skiën en kwam daardoor nogal ongelukkig ten val. Ik klapte achterover op de vastgevroren sneeuw. Na dat ongeluk had ik ontzettende pijn in mijn nek en waren mijn spieren helemaal stijf. Maar ja, na de vakantie brak de schooltijd weer aan en ging ik als plichtsgetrouwe lerares toch maar aan de slag in het gymnastieklokaal. In die tijd hoorde je nooit iets over het whiplash-trauma en omdat ik maar korte tijd last had gehad van dat ongeluk, maakte ik me er niet zo druk over. Tien jaar daarna stond ik met mijn auto voor het rode stoplicht. Ik zat een beetje voor me uit te staren en had niet in de gaten dat de auto achter mij vergat te remmen. Hij knalde met een behoorlijke vaart achterop. Gelukkig alleen maar wat blikschade, dacht ik nog, toen ik was uitgestapt en de auto inspecteerde. Maar in de weken die daarop volgden, had ik last van hoofdpijn, nekpijn en duizeligheid. Ik viel ook geregeld flauw, had evenwichtsstoornissen en voelde me helemaal niet lekker in mijn vel. Iedereen dacht dat het psychisch was. Vlak voor het ongeluk was namelijk mijn vader

overleden en mijn omgeving vond het heel normaal dat zo'n groot verlies ook een lichamelijke uitwerking op mij had. Niemand vermoedde dat het een gevolg kon zijn van het auto-ongeluk. Al die tijd bleef ik vage klachten houden, maar de diagnose 'whiplash-trauma' werd niet gesteld. Ik dacht zelf dat mijn klachten het gevolg waren van het steeds maar opnieuw voordoen van de koprol aan mijn leerlingen. Misschien had ik daarbij ooit een verkeerde beweging gemaakt. Intussen tobde ik maar verder.
In 1991 kreeg ik het volgende auto-ongeluk. Mijn auto werd aan de linkervoorkant flink geraakt. De gevolgen van dat ongeluk waren zo desastreus, dat ik zelfs mijn baan op moest geven. Ik had duizelingen, slaapproblemen, oorsuizingen, tintelingen in mijn armen, gewrichts- en spierpijn en was dood- en doodmoe. Bovendien wisselden mijn stemmingen op het extreme af. Ik werd angstig en kreeg het Spaans benauwd op verjaardagen en in winkels. Na veel onderzoek werd eindelijk de diagnose 'whiplash-trauma' gesteld. Gelukkig, ik had dus een echte aandoening. Want het is niet leuk als mensen denken dat je je aanstelt. Mijn klachten waren, en zijn overigens nog steeds, echt.

Andere oorzaken

Naast ongelukken in het verkeer kunnen, zoals gezegd, ook andere ongelukken de oorzaak zijn van nekletsel met whiplash-achtige klachten. Door bijvoorbeeld de val van een keukentrapje kan de nek door een snelle slingerbeweging te veel worden belast en kunnen de nekwervels verschuiven. Maar omdat een whiplash-trauma vaak direct in verband wordt gebracht met een auto-ongeluk, wordt de diagnose bij slachtoffers van andere ongelukken soms helemaal niet of pas veel later gesteld. Daarvan getuigt ook het verhaal van Martine Breij, studente aan de Hogere Hotelschool.

In het internaat waar ik woonde, gleed ik uit boven aan een natte, glibberige, betonnen trap. Alsof ik over een bananeschil uitgleed. Ik viel met een enorme zwaai achterover. Mijn rug raakte de bovenste tree en vervolgens stuiterde ik naar beneden. Een paar mensen zagen mij vallen en ik stond enigszins gegeneerd op en ging verder. Vrijwel direct na de val kreeg ik hevige pijn in mijn rug. De dag erna begon het ook uit te stralen naar mijn nek en benen. In het ziekenhuis werden röntgenfoto's gemaakt, maar daarop was niets te zien. Met een receptje voor pijnstillers in mijn hand werd ik naar huis gestuurd. Maar de pijn in mijn nek werd steeds erger en ik had daarnaast ook nog voortdurend hoofdpijn. Ik kon alleen nog maar slapen. Ik geloof dat ik wel een maand vrijwel aan één stuk geslapen heb. Ook al was er op de foto's niets te zien, ik voelde dat het helemaal fout zat. De huisarts heeft me na een tijdje weer naar het ziekenhuis verwezen waar ik allerlei soorten onderzoek heb ondergaan die eigenlijk niets opleverden. Pas na drie maanden zei mijn fysiotherapeut dat hij de behandeling van mijn pijnlijke spieren wilde staken, omdat hij dacht dat ik tijdens de val een whiplash had gehad. Zijn behandeling sloeg niet aan, mijn klachten werden erna alleen maar erger. Alle symptomen duidden op een whiplash-syndroom: extreme vermoeidheid, concentratiestoornissen, pijn in mijn nek en schouders, hoofdpijn, licht- en geluidgevoeligheid en ga zo maar door. Ik leidde inmiddels het leven van een oude oma. Nu is het gelukkig door een aantal specialisten erkend dat ik een whiplash-syndroom heb. Doordat ik met mijn rug tegen die betonnen rand ben gevallen heeft mijn hoofd een forse zwaai naar achteren gemaakt en is dit ongeluk vergelijkbaar met een fikse achteraanrijding.

Sport

In de Verenigde Staten komt het whiplash-trauma veel voor bij American football-spelers. Bij dit ruige spel is het de bedoeling elkaar de bal afhandig te maken. De spelers botsen regelmatig op elkaar en om daarbij hoofdletsel te voorkomen dragen ze helmen. Maar een helm verzwaart het hoofd en daardoor wordt de nek bij een botsing nog meer belast.
Pas in de jaren tachtig is men onderzoek gaan doen naar de effecten van een whiplash bij de zogenoemde contactsporten. Neuropsycholoog Erik Matser, verbonden aan het St.-Anna Ziekenhuis in Geldrop (afdeling Neuropsychologie en Sportneurologie), behandelt sporters en gewone patiënten die kampen met de gevolgen van hals- en hersenletsels.

Hersenletsel komt bijna in elke sport voor, ook in de recreatiesporten. In de Verenigde Staten alleen al lopen 250.000 mensen per jaar een hersenletsel op. Het wordt vaak over het hoofd gezien dat de klap die een hersenletsel veroorzaakt ook groot genoeg is om tegelijkertijd ook halsletsel te veroorzaken. Dit laatste wordt zelden opgemerkt bij behandelingen op een EHBO-post.

Hersenbeschadigingen kunnen zowel door hoofd- als door halsletsel optreden. De stoornissen op cognitief gebied die ontstaan door een hoofd- of halsletsel lijken sterk op elkaar en kenmerken zich door een specifiek patroon van klachten. Veelal worden vergeetachtigheid, concentratiestoornissen, een verhoogde emotionaliteit en een afgenomen snelheid van informatieverwerking gerapporteerd bij beide aandoeningen.
De sporten waarbij het risico op een hersenletsel het grootst is, zijn boksen, paardrijden, hanggliding, skiën en contactsporten als rugby, karate, voetbal, basketbal, hockey, ijshockey enzovoort. Whiplash-trauma's komen ook hierbij veelvuldig voor. Eén sport neemt een bijzonder vreemde uitzonderingspositie in, namelijk het boksen; ik heb nog nooit een bokser op mijn spreekuur gezien met een whiplash-trauma. Ongeveer negentig procent van de professionele boksers heeft een hersenletsel, dat varieert in ernst. Dit letsel is ontstaan door de optelsom van alle slagen op hun hoofd die ze hebben geïncasseerd gedurende hun bokscarrière. Het is een groot raadsel waarom juist boksers, die elkaar zo hard mogelijk op het hoofd slaan en waarvan het hoofd vele malen per wedstrijd een slingerbeweging maakt, geen whiplash-trauma krijgen. Daar heeft nog niemand een wetenschappelijk sluitende verklaring voor gevonden.
De oorzaak van een whiplash-trauma ligt bij het sporten meestal in de harde, vaak onverwachte botsing. Sporten met lijfelijk contact, maar ook recreatiesporten zonder contactelement – denk maar aan ongelukken en valpartijen – kunnen aardig wat nekblessures opleveren.
De sportmensen en gewone patiënten die zich hier melden met een whiplash-trauma krijgen verschillende soorten behandelingen die aansluiten bij de persoonlijke situatie van de patiënt. We proberen de patiënten weer zoveel mogelijk terug te brengen naar een acceptabele, leefbare situatie. Top-sporters zullen het bijvoorbeeld heel moeilijk krijgen om op hun oude niveau terug te komen, maar we kunnen er wel naar streven dat ze kunnen blijven sporten. Het is net als bij andere chronische whiplash-patiënten; het lichaam kan niet meer lange tijd achter elkaar tot het uiterste worden ingespannen. De patiënt moet leren activiteit en rust met elkaar af te wisselen.

Omstandigheden die de gevolgen van een whiplash beïnvloeden

Zoals gezegd wordt de kans op een whiplash groter als men zich voortbeweegt met een gemotoriseerd voertuig. Andere risicovergrotende factoren zijn sporten waarbij het gevaar voor een botsing groot is, bijvoorbeeld rugby, bobsleeën of skiën. Maar een whiplash op zich hoeft geen klachten tot gevolg te hebben. Uit onderzoek is naar voren gekomen dat er een paar factoren zijn die bij slachtoffers van een whiplash de kans om vervolgens ook echt een whiplashsyndroom te krijgen kunnen vergroten.

Sekse

In de eerste plaats moet er geconstateerd worden dat het merendeel van de whiplash-patiënten vrouw is. Voor dit verschijnsel zijn al verschillende theorieën geopperd. Zo zou het verschil in het aantal mannelijke en vrouwelijke whiplash-patiënten kunnen voortkomen uit het feit dat vrouwen in het algemeen een dunnere nek hebben, die door minder spiervezel ondersteund wordt. Ze zouden dus ook minder goed in staat zijn de schadelijke krachten tijdens een ongeval te weerstaan.
Een andere theorie verwijst naar het verkeersgedrag van vrouwen. Volgens de statistieken begeven vrouwen zich meer dan mannen in het drukke stadsverkeer. En in de stad komen de meeste achteraanrijdingen voor. Daarbij speelt mee dat ze dit doen in kleinere, minder schokbestendige auto's, de zogenaamde 'boodschappenwagentjes', waardoor de klap nog harder aankomt.
Vrouwen zijn bovendien vaker passagier dan bestuurder en zijn minder bedacht op een ongeluk. Daardoor zetten zij zich vaak te laat schrap. Alle theorieën ten spijt heeft tot nu toe niemand een eenduidig antwoord kunnen geven op de vraag hoe het komt dat circa zestig procent van de whiplash-patiënten van het vrouwelijk geslacht is.

Leeftijd

Ook de leeftijd speelt een rol bij het verwerken van een whiplash. Oudere mensen krijgen eerder last van de gevolgen van een whiplash dan jongere mensen. Bovendien gaat het genezingsproces bij oudere mensen langzamer. Voor mensen die al eens eerder een whiplash-trauma hebben gehad of al vóór het ongeluk last hadden van afwijkingen aan de halswervelkolom, geldt dat ze eerder kans hebben om ernstige en blijvende klachten over te houden aan een

whiplash. Bij oudere mensen is de kans groter dat ze al eens een whiplash hebben gehad en dus ook de kans dat ze een whiplash-trauma krijgen.
Bij kinderen wordt het whiplash-syndroom vrij zelden waargenomen. Dit zou verklaard kunnen worden door het feit dat het lichaam van kinderen in de groei veel flexibeler is dan dat van volwassenen en dat de nek dus ook meer belast kan worden. Aan de andere kant wordt een whiplash-trauma bij kinderen misschien minder opgemerkt, omdat een kind nog midden in zijn ontwikkeling zit. Als het leerproces na het ongeluk iets te langzaam vooruit gaat, denkt men al gauw dat het kind wat minder begaafd is of leerproblemen heeft. Erik Matser zegt hier het volgende over.

> Halsletsel bij kinderen is heel verraderlijk. Je denkt als ouder al gauw dat je kind een natuurlijke achterstand heeft. Maar misschien is het wel zo dat je kind zich niet goed kan concentreren of minder goed informatie kan onthouden omdat het in het verleden een whiplash-trauma heeft opgelopen. Whiplash-trauma's bij kinderen openbaren zich op een wat andere manier dan bij volwassenen. Kinderen ontwikkelen zich ieder in hun eigen tempo en ook binnen hun eventuele handicap is er steeds vooruitgang zichtbaar. Daarom lijkt het aanvankelijk alsof kinderen geen schade hebben opgelopen door hun whiplash-trauma, maar gewoon wat trager zijn. Daar moet je als behandelaar dus extra alert op zijn. Het zou een goede zaak zijn als behandelaars de kinderen met een halsletsel die in eerste instantie klachtenvrij lijken te zijn, na verloop van tijd weer zouden kunnen onderzoeken op specifieke tekortkomingen in hun mentale functioneren.

Een heel uitzonderlijke vorm van een whiplash-syndroom is het 'whiplash shaken infant syndrome'. Als baby's en heel jonge kinderen bij de bovenarmen of schouders worden beetgepakt en hevig door elkaar worden geschud, bijvoorbeeld in een laatste wanhopige poging hen te laten ophouden met huilen, dan kan er een ernstige en soms dodelijke vorm van een whiplash-trauma optreden. De onderzoeker Caffey beschreef in 1974 het klinische beeld van een aantal zuigelingen die een suffe en comateuze indruk maakten en symptomen vertoonden van ernstige bloedingen, terwijl er geen spoor te zien was van enig uitwendig geweld. Een dergelijk hevige mishandeling van een klein kind kan een comateuze toestand tot gevolg hebben. In het meest gunstige geval veroorzaakt een whiplash-trauma ernstige vertraging in de geestelijke ontwikkeling van het kind.

Conditie

Als het lichaam van het slachtoffer tijdens het ongeval in een slechte conditie verkeert of als het slachtoffer last heeft van een algemeen pijnsyndroom, bijvoorbeeld reuma, dan is de kans op een whiplash-syndroom aanzienlijk groter.

De verkeerstechnische situatie

Naast de conditie waarin iemand zich bevindt tijdens het ongeluk, spelen eveneens een aantal algemene factoren een rol bij het wel of niet overhouden van ernstige gevolgen door een nekletsel. Zo is een aanrijding van achteren, waardoor het hoofd eerst naar achteren en dan naar voren klapt, veel ernstiger dan een aanrijding van voren waarbij het omgekeerde gebeurt.
Ook het dragen van autogordels, kan ertoe bijdragen dat iemand eerder gevolgen ondervindt van een whiplash. Doordat het lichaam tegen de stoel gedrukt blijft en het hoofd heen en weer slingert, worden de nekwervels extreem belast. De kracht van de klap wordt niet verdeeld over het gehele bovenlijf, maar concentreert zich op de nek. Sinds de komst van de verplichte autogordel is het aantal hoofdletsels echter aanzienlijk gedaald. Het vastgesnoerd zitten voorkomt dat men bij een ongeluk door de voorruit schiet. Het dragen van een autogordel voorkomt veel ander letsel dat levensbedreigend kan zijn en is daarom nog steeds te prefereren.

Preventie

Voor de medische behandelaars is het verhaal van de patiënt over hoe het ongeluk is gebeurd van groot belang. De informatie over de manier waarop de patiënt zijn whiplash-trauma vermoedelijk heeft gekregen is zeer nuttig met het oog op preventie. Als men inzicht heeft in de situaties die riskant zijn voor een whiplash, dan kunnen mensen vooraf op die gevaren gewezen worden zodat ze voorzorgsmaatregelen kunnen nemen. Het is effectief om juist in het verkeer te wijzen op preventieve maatregelen om whiplash te voorkomen.
Volgens schattingen van de Nederlandse Stichting Whiplash Patiënten (NSWP) en de Raad voor de Verkeersveiligheid komen er ongeveer tachtig whiplash-patiënten per werkdag bij als gevolg van een verkeersongeval. Meer dan tien procent van de whiplash-

Logo van de campagne 'Voorkom nekletsel'

slachtoffers komt in de WAO (Wet op de arbeidsongeschiktheidsverzekering) terecht.
Een goed voorbeeld van een effectieve actie op het gebied van whiplash-preventie is de campagne 'Voorkom nekletsel' van onder meer Veilig Verkeer Nederland, het Verbond van Verzekeraars, de NSWP, de Bovag, de Consumentenbond en de ANWB. Door middel van grote borden langs de snelweg worden bestuurders en passagiers gewezen op het belang van een op de juiste hoogte afgestelde hoofdsteun.

Hoofdsteun
Een deel van de nekletsels als gevolg van achteraanrijdingen kan worden voorkomen door een goed afgestelde hoofdsteun. Als de hoofdsteun op oorhoogte staat afgesteld, dat is ongeveer op vijfentachtig centimeter hoogte gerekend vanaf de heup tot het oor, dan kan deze het hoofd en de nek goed opvangen tijdens het ongeval. Het advies van Veilig Verkeer Nederland is echter om de bovenkant van de hoofdsteun gelijk te stellen aan de bovenkant van het hoofd. Helaas loopt de Europese regelgeving achter bij de groei van de gemiddelde lengte van de Nederlander. Daardoor kan het voorkomen dat de hoofdsteun bij lange mensen niet gelijk gezet kàn worden met de bovenkant van het hoofd. In dit geval moet de

hoofdsteun minimaal reiken tot de bovenkant van het oor.
De afstand tussen het hoofd en de hoofdsteun mag maximaal vier centimeter zijn, wil de steun nog enig effect hebben bij een botsing. Dit kan men bereiken door de stoel goed rechtop te zetten en de hoofdsteun goed af te stellen. Het is belangrijk dat ook passagiers vóór het begin van de reis hun hoofdsteun op de juiste hoogte instellen.
Als men de aanrijding aan ziet komen en er is geen ontwijken meer mogelijk, dan is het aan te raden om het achterhoofd krachtig tegen de hoofdsteun te drukken, recht vooruit te kijken en zich met gestrekte armen stevig vast te houden aan stuur, dashboard of voorstoel. Een aantal autofabrikanten is bezig met de ontwikkeling van een anti-whiplash hoofdsteunsysteem. Net als bij een airbag reageert dit systeem op de botsing. De hoofdsteun komt tijdens de schok een stukje naar voren zodat het hoofd minder ver naar achteren kan klappen, waardoor de kans op een whiplash-trauma kleiner wordt. Jammer genoeg zijn er ook veel situaties waarbij de hoofdsteun geen rol van betekenis kan spelen, bijvoorbeeld als het gaat om een zijaanrijding en het hoofd dan zijwaarts in plaats van achterwaarts slingert. Of indien het slachtoffer zich juist opzij of voorover buigt en het hoofd zich dus niet in de buurt van een hoofdsteun bevindt. Dat laatste was het geval bij het ongeluk waarbij Jan van Lierop, een 33-jarige accountant betrokken raakte.

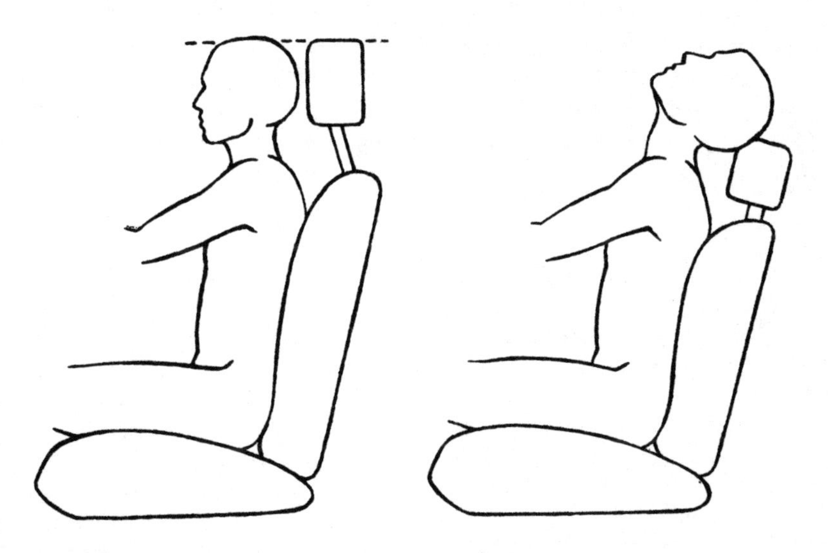

Goed afgestelde hoofdsteun *Fout afgestelde hoofdsteun*

Ik had wél goed afgestelde hoofdsteunen in de auto, maar dat mocht niet baten. Toen ik van achteren werd aangereden zat ik net voorovergebogen aan mijn radio te prutsen. Ik stond voor het stoplicht in de binnenstad en wilde net een andere zender zoeken. Buiten was het donker, het regende een beetje en de weg was nat. De man die mij heeft aangereden, verklaarde mij helemaal niet gezien te hebben. Ik denk dat hij naar een grote, uitslaande brand keek die precies vanaf het kruispunt waar het ongeluk gebeurde te zien was. Toen we de schade bekeken, bleek zijn auto aan de voorkant flink in elkaar te zitten. Bij de mijne hadden de kunststof bumpers de klap goed opgevangen. We hebben de schadeformulieren ingevuld en ik ben daarna weer naar huis gereden. Ongeveer vier dagen later kreeg ik pijn in mijn schouders en nek. Ik dacht dat ik de griep had, want die heerste op dat moment, en ging in bed liggen om uit te zieken. Maar de pijn ging niet over. De huisarts heeft uiteindelijk aan de hand van mijn verhaal een whiplash-trauma geconstateerd. Naarmate de tijd verstreek ging het steeds slechter met me. Ik had last van hoofdpijn, vermoeidheid, karakterveranderingen, concentratieproblemen en nog veel meer typische whiplash-symptomen. Het auto-ongeluk is nu drie jaar geleden en na een lange lijdensweg ben ik inmiddels zover opgeknapt dat ik gelukkig weer aan het werk kan. Waar ik wel mee worstel, is de angst om auto te rijden. Het is voor mij een noodzakelijk kwaad geworden. Ik ben in de auto veel alerter, kijk vaker in mijn achteruitkijkspiegel en controleer voor het instappen of mijn hoofdsteunen goed staan afgesteld.

3 *Symptomen*

Karakteristieke aspecten

Een van de meest opvallende aspecten van het whiplash-syndroom is de tijd die in de meeste gevallen zit tussen het ongeluk en het ontstaan van klachten. Het is niet ongebruikelijk dat een whiplash-patiënt pas een aantal dagen, weken of zelfs maanden na het (auto-) ongeluk last krijgt van onder andere pijn, evenwichtsstoornissen en concentratiestoornissen.
Meestal is er direct na het ongeluk al wel sprake van duizeligheid en lichte hoofdpijn, maar de klachten zijn nog niet zo ernstig dat men niet meer kan functioneren. Patiënten met een whiplash-syndroom 'storten' meestal pas enkele dagen of weken later in. De pijn in hoofd, nek en schouders en de vermoeidheid is dan zo toegenomen dat normaal functioneren niet meer mogelijk is. De klachten die eerst door de patiënt als 'licht' worden ervaren, kunnen op den duur toenemen en de patiënt zelfs invalideren. In de medische wetenschap is er nog geen verklaring gevonden voor dit fenomeen. Het bemoeilijkt echter wel het stellen van een juiste diagnose. Wanneer de blikschade eenmaal gerepareerd is, zijn de meeste mensen geneigd om het hele ongeval maar te vergeten. Als ze een aantal dagen later allerlei klachten krijgen, schrijven ze dat algauw toe aan andere oorzaken als oververmoeidheid of een griepje. Dat de klachten veroorzaakt zijn door een ongeval dat dagen of weken eerder plaatsvond, komt niet bij ze op.
Het is vooral de taak van de huisarts om bij patiënten met vage klachten en pijn in de nek, goed door te vragen naar eventuele ongelukken, die een nekletsel tot gevolg zouden kunnen hebben gehad.
Er bestaat een waslijst van klachten waar een whiplash-patiënt last van kan krijgen. Hoewel de lijst van symptomen van een whiplash-trauma over de hele wereld wel dezelfde is, heeft iedere patiënt zijn eigen scala aan klachten. Het whiplash-trauma heeft geen enkel-

voudig ziektebeeld. Iedere patiënt heeft zijn eigen combinatie van een aantal symptomen die op die lijst voorkomen. Een en ander is afhankelijk van het soort ongeluk dan men heeft gehad, de ernst van het ongeluk, de lichamelijke conditie van de patiënt en de manier waarop hij op ziekte en beperkingen reageert. Grofweg gezegd zijn de klachten die ontstaan door een whiplash-trauma in te delen in de volgende categorieën.[1]

Hersenfunctiestoornissen

Deze stoornissen zijn onder te verdelen in twee categorieën: neurologische stoornissen en cognitieve functiestoornissen. Onder neurologische stoornissen vallen de pijnklachten, zoals hoofd- en nekpijn, maar ook spierzwakte in schouders en nek en vreemde gevoelssensaties, zoals tintelingen in de handen.
De cognitieve functiestoornissen hebben vooral betrekking op het verwerken van informatie. Hieronder vallen symptomen als concentratieverlies en vermindering van geheugencapaciteit.

Functiestoornissen van het bewegingsapparaat

Veel patiënten hebben last van een stijve nek en kunnen de normale bewegingen van het hoofd nog maar ten dele uitvoeren. Soms heeft de patiënt instabiele rug- en nekwervels, waardoor het bewegen van die delen pijn doet en stroef gaat.

Sensorische functiestoornissen

Whiplash-patiënten hebben vaak last van overgevoeligheid voor licht en geluid of verandering van smaaksensaties. Dit zijn stoornissen die te maken hebben met de zintuigen en worden ook wel sensorische functiestoornissen genoemd.
De vestibulaire stoornissen behoren ook tot deze groep, omdat het evenwichtsorgaan een zintuig is.
Als gevolg van een whiplash-trauma kunnen er allerlei stoornissen in het evenwichtsorgaan ontstaan, die onder andere kunnen leiden tot duizeligheid, oorsuizen, een onzekere balans bij het lopen en wankelen als men langere tijd stil moet staan.

1. Onder andere uit: W. Clay, *Het Whiplash-probleem*, 1992.

Hormonale stoornissen
Bij veel vrouwelijke whiplash-patiënten is de menstruatiecyclus verstoord. Bovendien vertonen sommige vrouwen symptomen die veel lijken op het premenstrueel syndroom. Ook kunnen bij whiplash-patiënten veranderingen in het libido worden geconstateerd. Deze stoornissen zijn mogelijk ook gerelateerd aan de hersenfunctiestoornissen.

Psychische stoornissen
Psychische stoornissen zijn vooral stoornissen op het affectieve vlak. Het komt vaak voor dat er veranderingen in het karakter en het gevoelsleven van de whiplash-patiënt plaatsvinden. Zo kan iemand die voorheen opgewekt en actief was door een whiplashtrauma lusteloos en depressief worden.

De verschillende ziektebeelden die kunnen optreden, komen goed naar voren in het verhaal dat Marianne Nuijten over haar ziektebeeld vertelt.

> Direct na het auto-ongeluk was ik natuurlijk een beetje bibberig van de schrik. Ik had verder geen verwondingen behalve een pijnlijke plek op mijn hoofd, dat tegen het portier was gestoten. De politie-agent deed nog een testje om te kijken of ik geen hersenschudding had. Maar ik kon mijn wijsvinger met gesloten ogen moeiteloos naar mijn neus halen. Ik was niet misselijk en voelde alleen een lichte hoofdpijn.
> Een paar dagen later was dat wel anders. Mijn hoofd leek wel van lood en de spieren in mijn nek voelden branderig aan. Een aantal mensen merkte op dat ik zo verkrampt en scheef liep. Maar ik hield stug vol en meldde me niet ziek. Enkele dagen later had ik moeite om mijn evenwicht te bewaren en viel ik zomaar van mijn fiets. Daarna sleepte ik me naar huis en was tot niets meer in staat. Van televisiekijken werd ik misselijk en de letters in de krant leken op en neer te springen. Ik kon niet goed meer uit mijn woorden komen en maakte heel vreemde zinsconstructies. Mijn bed was de enige plaats waar ik het nog uit kon houden, ik voelde me zo ellendig dat ik het liefst de hele dag had willen slapen. Later kwam daar nog een constante hoofd- en nekpijn bij. Deze klachten heb ik ongeveer twee tot drie maanden gehad. Toen kwam er enige verbetering in mijn concentratievermogen. Ik kon grote-letterboeken en stripverhalen lezen.

De klachten die bleven waren de abnormaal hevige menstruatie, de hoofd- en spierpijn en mijn extreme vermoeidheid. Een wasje ophangen werd opeens een klus voor de hele ochtend en daarna was ik uitgeteld. Verder kende ik mezelf nauwelijks terug: ik was regelmatig depressief, had geen zin meer in sociale contacten en wilde niet meer vrijen. Ik was een heel ander mens. Dat bracht allerlei spanningen met zich mee, zoals met mijn baas, die zijn steun en toeverlaat voor langere tijd moest missen. Hij had moeite om begrip op te brengen voor mijn vage aandoening, vooral omdat hij aan mijn ongeschonden uiterlijk niet kon zien hoe ziek ik in feite was. Ook op mijn relatie trok de verandering in mijn gedrag een zware wissel. Van het ene op het andere moment was ik van een energieke, vrolijke, jonge vrouw, veranderd in een depressieve, ongeïnteresseerde zoutzak. Bovendien wentelde ik me in mijn eigen verdriet. We hebben het uiteindelijk samen overleefd, maar er is heel wat afgeschreeuwd en gejankt. Ik ben nu ruim één jaar whiplash-patiënt. Nog steeds slik ik regelmatig pijnstillers en moet ik na elke inspanning rusten. Maar ik kan inmiddels weer een paar uur per dag normaal functioneren, en dat is al heel wat waard.

De meest voorkomende klachten

Het klachtenpatroon van een whiplash-trauma is zo complex en uitgebreid dat het vrijwel onmogelijk is om een volledige lijst met de symptomen vast te stellen. Een aantal symptomen van het whiplash-syndroom lijken op die van andere langdurige ziekten, zoals myalgische encephalomyelitis (ME) of migraine, wat soms verwarring kan opleveren bij de diagnose van een whiplash-trauma.
De symptomen die hier gegeven worden, zijn de belangrijkste en meest voorkomende. Ze zijn het resultaat van een uitgebreid onderzoek naar het klachtenpatroon van een groep whiplash-patiënten. De percentages geven aan hoe vaak de klachten bij de patiënten voorkwamen.

Overwegend lichamelijke klachten

bewegingsbeperking van het hoofd	95%
nekpijn	92%
hoofdpijn	84%
bewegingsbeperking van de schouder	84%
gevoeligheid voor weersverandering	84%
doof gevoel in armen en handen	76%
nachtelijke pijn in armen en handen	71%
's morgens een uitgeblust gevoel	63%
concentratiezwakte	61%
overgevoeligheid voor lawaai	61%
beperking van de armbeweging	61%
zwaar gevoel in de schouders	58%
zwaar gevoel in de armen	58%
wazig zien	53%
kriebelgevoel in armen en handen	50%
duizeligheid	50%
zwak gevoel in de armen	47%
flikkeren en vonksensaties in de ogen	47%
geruis en gepiep in het oor	45%
onzeker lopen	45%
onverwacht iets laten vallen	39%
overgevoelig voor schel licht	39%
verminderde beleving van seksueel gevoel	37%
tranen in de ogen	37%
slecht horen	34%
zwakte in de handen	34%
koude voeten	34%
zweten	34%
niet verdragen van warmte	34%
libidovermindering	32%
misselijkheid	32%
zwarte vlekken zien	32%
zwak gevoel in het lichaam	29%
gevoel van 'balletje' in de hals, slikproblemen	29%
koude handen	29%
beneveld gevoel	29%

Bron: Peter Zenner, *Die Schleuderverletzung der Halswirbelsäule und ihre Begutachtung*, 1987.

Overwegend psychische klachten

moeilijkheden bij in- en doorslapen	90%
door hoofdpijn te vroeg wakker worden	80%
vaak nerveus, angstig en gespannen zijn	75%
slaapstoornissen door spierpijn	75%
overdag uitgeput zijn	72%
nachtmerries hebben	70%
oude slaaphouding kan niet meer worden ingenomen	65%
een 'zwaar' gevoel in lichaam en ziel hebben	65%
overgevoelig worden	65%
persoonlijkheidsverandering	60%
onvermogen tot concentratie	60%
bedrukt, depressief gevoel hebben	54%
zich terugtrekken uit het sociale leven	50%
meer prikkelbaar zijn	50%
wakker worden met hoofdpijn	48%
gevoel te falen	35%
niet kunnen slapen zonder pijn	35%
suïcide-neigingen	30%
minderwaardigheidsgevoel	20%
meer agressief	20%
onbeheerst	20%

Bron: Peter Zenner, *Die Schleuderverletzung der Halswirbelsäule und ihre Begutachtung*, 1987.

Deze lijsten zijn bij lange na niet compleet. Zo zijn bijvoorbeeld de klachten met betrekking tot de menstruatiecyclus niet opgenomen en ontbreken er ook een aantal andere niet ongebruikelijke symptomen zoals substantiële veranderingen in het lichaamsgewicht. Bovendien is het goed mogelijk dat zich persoonsgebonden klachten voordoen die wel veroorzaakt of versterkt worden door een whiplash-trauma, maar ook duidelijk te maken hebben met bepaalde aandoeningen die de patiënt al voor het ongeluk had.

Onderzoek naar oorzaak en gevolg van beschadigingen

Vrijwel iedereen heeft na een whiplash-trauma last van pijn en van bewegingsbeperkingen in de omgeving van het hoofd en de nek. Maar waarom heeft iemand na een whiplash-trauma bijvoorbeeld last van duizelingen of van menstruatiestoornissen? Waarom doen de schouderspieren zo'n pijn en laat het concentratievermogen te wensen over? Overal ter wereld, maar vooral in de geïndustrialiseerde landen als de Verenigde Staten, Duitsland en Japan, buigen wetenschappers zich over deze vragen. Het whiplash-trauma kent nog vele raadsels.

Beschadigingen

In het algemeen zou men kunnen stellen dat de beschadigingen als gevolg van een whiplash tot stand kunnen komen op twee manieren. De eerste is een verschuiving van de hersenmassa ten opzichte van de schedel. Net als de inhoud van een verhuiswagen die naar voren schuift bij een noodstop, zo verschuiven bij een aanrijding de hersens binnen de hersenpan. Hoe extremer de versnelling, hoe meer schade er zal zijn. Hierbij valt te denken aan pure mechanische schade. Onze organen, zenuwen, spieren en andere onderdelen zitten aan elkaar vast met verbindingsweefsel. Die verbindingen kunnen afbreken, zodat er geen gegevens meer kunnen worden uitgewisseld. Dit kan leiden tot ernstige klachten, zoals het minder goed functioneren van de ledematen. Maar er kunnen ook subtielere beschadigingen optreden. Door het verschuiven van de massa kunnen de membranen, die de zenuwcellen omgeven, uitgerekt worden of licht inscheuren. Dit proces heeft grote invloed op de doorlaatbaarheid van de membraan en juist die doorlaatbaarheid is belangrijk voor de communicatiestroom binnen onze hersenen. Vandaar dat dit allemaal (tijdelijke) klachten kan opleveren op het gebied van bijvoorbeeld coördinatie en informatieverwerking. Het tweede mechanisme waardoor beschadigingen tijdens een whiplash kunnen ontstaan, is de belasting die de nek te verduren krijgt als het hoofd van de romp af wordt geslingerd. Het verbindingsstuk, de nek, is niet berekend op een dergelijke belasting. Daardoor kunnen het spierweefsel, het bindweefsel en de wervels zelf beschadigd raken. Daar krijgt de patiënt dus een stijve nek van, de spieren weigeren zich als het ware te bewegen uit angst voor pijn. De schouderspieren nemen de taak van de nekspieren over en houden het hoofd overeind, maar omdat ze niet berekend zijn op

die extra belasting leidt dit tot schouderpijn. De schouderpijn kan overigens ook een gevolg zijn van het dragen van de autogordel tijdens het ongeluk. Tijdens de klap wordt de schouder die vastzit tegengehouden terwijl de andere schouder naar voren schiet. Daardoor kunnen de gewrichten ontzet raken en kunnen schouderspieren pijnlijk aanvoelen. (Nogmaals, het vastgesnoerd zitten draagt bij tot minder letsel als gevolg van een auto-ongeluk en is daarom altijd aan te raden.)
De nek is, naast het evenwichtsorgaan, een belangrijke factor in ons evenwichts- en coördinatiesysteem. Het 'vastzitten' van de nek kan leiden tot duizeligheid bij het opstaan, slecht lang rechtop kunnen staan en andere evenwichtsproblemen.

Klachtenpatroon

Door de huidige moderne communicatie kunnen medici de klachten van hun patiënten direct vergelijken met de bevindingen van hun collega's elders in de wereld. Omdat het klachtenpatroon van whiplash-patiënten over de hele wereld grote gelijkenis vertoont, mag men aannemen dat er in elk geval niet gesimuleerd wordt. Er kan geen sprake zijn van een wereldwijd verbond van bedriegers. Een whiplash-trauma kan dus beschadigingen veroorzaken die veel verschillende klachten tot gevolg hebben. Het klachtenpatroon is, afhankelijk van de aard en ernst van het ongeluk en de fysieke en psychische toestand van de patiënt voor het ongeluk, verschillend van duur en intensiteit.
Een van de experts die een deel van zijn onderzoekstijd wijdt aan het klachtenpatroon van whiplash-trauma's is professor Herman Kingma van het Academisch Ziekenhuis in Maastricht.

Er is wel veel onderzoek gedaan naar het whiplash-trauma, maar de uitkomsten daarvan zijn nog niet toereikend om een helder, consistent en objectief beeld te geven van deze aandoening. Alle theorieën rondom whiplash zijn nog te hypothetisch, te onzeker om ze als waarheid te kunnen verkondigen. In de eerste plaats is er in de wetenschap al onduidelijkheid over de vraag: 'Wat is een whiplash nu precies?' Als iemand een ladder tegen zijn hoofd krijgt, kan dan niet een soortgelijk letsel ontstaan als bij een achteraanrijding? Een ander aspect is dat het klachtenpatroon kritisch bekeken moet worden. Zijn de klachten wel allemaal een gevolg van het trauma? Heel vaak kun je dat niet eenduidig vaststellen. Zeker niet als er een behoorlijke tijd zit tussen het ongeluk en het optreden

van de klachten. Als er bijvoorbeeld een half jaar tussen zit, dan kan er in die periode van alles zijn gebeurd waardoor die klachten zijn ontstaan, los van het whiplash-trauma. Dat maakt de verwarring vrij groot. Want als je alle klachten opnoemt die gerelateerd kunnen zijn aan een whiplash, dan is de kans groot dat patiënten met veel vage klachten last hebben van één of meerdere klachten uit die lijst.
Waar de wetenschap zich tot nu toe het meest intensief mee heeft beziggehouden, is het inventariseren van de klachten. Hoe die klachten vervolgens in verband moeten worden gebracht met de mogelijke beschadigingen als gevolg van een whiplash, kan eigenlijk alleen maar op hypothetische basis worden beschreven.

Bij whiplash-klachten in het algemeen kan men zich afvragen: wat is nu oorzaak en wat is gevolg? De extreme vermoeidheid van patiënten is één van de klachten die opvallend vaak naar voren komt in onderzoeken. Wetenschappers vragen zich bijvoorbeeld af of de aandachts- en concentratieproblemen niet juist veroorzaakt worden door extreme vermoeidheid. Aan de andere kant is het ook zo dat als er abnormale concentratie vereist is bij het uitvoeren van normale handelingen, de patiënt door deze extra belasting ook veel sneller vermoeid is. Herman Kingma zegt hierover:

Het evenwichtsstelsel zorgt ervoor dat veel handelingen uitgevoerd kunnen worden zonder dat we erbij na hoeven te denken. Als dat systeem niet meer naar behoren functioneert, dan kost alles wat het lichaam doet moeite. De meest normale handelingen, zoals het rechtop lopen, het waarnemen van dingen en de coördinatie van je bewegingen, kunnen de whiplash-patiënt dan al helemaal afmatten. Als iemand zich de hele tijd moet concentreren op handelingen die voor het ongeluk als vanzelfsprekend door het lichaam werden uitgevoerd, dan is hij na verloop van tijd uitgeput. En dan heeft het lichaam geen energie meer over voor andere activiteiten, zoals bijvoorbeeld werken of studeren.
Volgens mij is het cruciale probleem van een whiplash-trauma terug te voeren op de te zware belasting van het lichaam en de zintuigen, het is een zintuig-fysiologisch probleem. Er zijn allerlei zintuigen die de mens informatie verschaffen over de buitenwereld en over zijn eigen bewegingen. De informatie moet verwerkt worden in de hersenen en die geven vervolgens weer signalen of opdrachten af aan de rest van het lichaam. Daardoor trekt iemand

die zich brandt aan een kachel zijn hand in een reflex terug en kan iemand die een sneeuwbal ziet aankomen hem met een stap opzij ontwijken. Dit hele proces van informatie opnemen, verwerken en reageren is uitermate ingewikkeld en vindt toch plaats in honderdsten van seconden. Wanneer er in het systeem dat alle zintuiglijke informatie coördineert door subtiele beschadigingen het een en ander hapert of vertraagd is, dan uit zich dat in allerlei klachten. De functiestoornissen in de hersenen leiden ertoe dat iemand niet meer optimaal in staat is om al die informatie van buitenaf op een juiste manier te verwerken. Dan is voor elke taak die het lichaam moet vervullen, bewust of onbewust, meer dan normale aandacht noodzakelijk.
Als een whiplash-patiënt naast de problemen met de informatieverwerking ook nog eens pijn heeft en zich moeilijk kan bewegen, dan heeft dat ook invloed op zijn normale functioneren. Daardoor voelen whiplash-patiënten zich vaak niet lekker in hun vel en is de kans op affectieve stoornissen, zoals een depressie, groot. Er is dus niet alleen sprake van lichamelijke en psychische klachten die veroorzaakt zijn door het whiplash-trauma, er is ook sprake van een terugkoppelingsproces. Het niet optimaal functioneren, het ziekzijn, kan als fenomeen een versterkende werking op de klachten hebben. Ik denk dat je het hele klachtenpatroon niet los kunt zien van elkaar.

Het whiplash-syndroom kent dus een hele reeks van kenmerken die aan elkaar gerelateerd zijn. Wetenschappers ontdekten tijdens patholoog-anatomisch onderzoek op apen met een whiplash-trauma, allerlei hele kleine beschadigingen in spier-, hersen-, en zenuwweefsel. De scan- en elektro-encefalografische methoden worden steeds verfijnder, waardoor het uiteindelijk eveneens mogelijk zal zijn de beschadigingen bij whiplash-patiënten objectief vast te stellen. Het probleem ligt, zo legt Kingma uit, echter meer bij de volgende stap: het vaststellen van de relatie tussen de beschadigingen en het ontstaan van de klachten.

Helaas is de aandoening zo verweven met de nog vrij onbekende contreien in het menselijk brein, dat alleen door nog meer onderzoek ook het uiteindelijke verband tussen de beschadigingen en de klachten die daaruit voortvloeien, kan worden aangetoond.
In de lijst van Zenner komt bijvoorbeeld ook de klacht 'duizeligheid' voor. Omdat patiënten last hadden van duizeligheid is men

begonnen met het doen van evenwichtsonderzoek. Het evenwichtsorgaan reageert op versnellingen. Wanneer de versnelling echter aan de extreme kant is, bijvoorbeeld bij een auto-ongeluk, dan kunnen in theorie het evenwichtsorgaan en de centrale verbindingen eromheen, daardoor (tijdelijk) beschadigd raken. Het zintuig werkt dan niet meer optimaal en dat uit zich dan in instabiel lopen, wazig zien, duizeligheid enzovoort. Het evenwichtssysteem is, naast de reuk, een van de zintuigen dat zich het eerst ontwikkelt in het embryo. Het is daardoor verweven met allerlei functies in het lichaam en de hersenen. Het evenwichtssysteem zorgt ervoor dat wij bijvoorbeeld met onze ogen dicht een kopje koffie kunnen drinken. Of dat we in een reflex ons hoofd en ogen naar een object draaien dat plotseling gehoord of gezien wordt, dat we rechtop blijven lopen, dat we kunnen fietsen en ga zo maar door. Allemaal handelingen die automatisch door dit multi-sensorische stelsel geregeld worden. Als het systeem verstoord is, en we meer aandacht moeten besteden aan elke handeling, dan zal dit leiden tot extreme vermoeidheid en verminderde belastbaarheid. Omdat dat evenwichtssysteem met zoveel processen in het lichaam te maken heeft en helemaal vervlochten is met het zenuwstelsel en de hersenen, is de kans groot dat als er iets aan hoofd of nek beschadigd wordt daarbij ook het evenwichtsstelsel betrokken is. Daarom wordt er nu zoveel aandacht besteed aan evenwichtsonderzoek bij whiplash-patiënten. Maar dit is natuurlijk maar een theorie. Er zijn nog vele andere mogelijke verklaringen.

4 *De diagnose*

Het jagende bestaan van de oermens is veranderd in het opgejaagde bestaan van de kantoormens. Vaak bepalen wij ons levensritme niet zelf, maar wordt dit door de maatschappij voor ons bepaald. We eten niet als we onze maag voelen, maar op het moment dat we pauze hebben. In plaats van naar ons eigen lichaam te luisteren, lezen we in de media hoe we ons lichaam in conditie moeten houden. De bladen staan vol met huis-, tuin- en keukenremedies tegen stress, slapeloosheid, allergie en andere hedendaagse onaangenaamheden. Juist omdat de kennis over aandoeningen tegenwoordig zo gemakkelijk voorhanden is en we niet meer gewend zijn om naar ons lichaam te luisteren, heeft de moderne mens soms moeite om de signalen die het lichaam geeft goed te interpreteren. Kondigen hoofdpijn en spierpijn een aankomende griep aan of hebben we te lang ingespannen in dezelfde houding zitten werken? Is die eindeloze vermoeidheid te wijten aan stress of is er iets mis met ons bloed? Whiplash-patiënten hebben klachten die ook bij allerlei andere ziekten kunnen voorkomen. Zo kunnen vermoeidheid en hoofdpijn tientallen oorzaken hebben.

Herkenning

Een whiplash-patiënt heeft op de eerste plaats vrijwel altijd een ongeluk gehad waarbij het hoofd een heftige slingerbeweging ten opzichte van de romp heeft gemaakt. En op de tweede plaats heeft de patiënt na verloop van tijd (meestal één tot drie dagen) last van een aantal van de volgende symptomen: (spier)pijn in nek en schouders, bewegingsbeperking van hoofd en nek, hoofdpijn, extreme vermoeidheid, slaapproblemen, duizeligheid en andere evenwichtsstoornissen, uitval in armen en handen en/of cognitieve problemen (zie hoofdstuk 3). Wie zichzelf in deze beschrijving herkent, doet er verstandig aan de huisarts te consulteren.

In het algemeen geldt: hoe eerder een juiste diagnose gesteld wordt, hoe groter de kans dat een eventuele therapie positief effect heeft op de patiënt. Het is voor whiplash-patiënten van belang om in de acute fase (eerste week na het ongeval) goed begeleid te worden.

Diagnose

De eerste-hulparts of huisarts zal in eerste instantie een precieze omschrijving vragen van het klachtenpatroon. Waar zit precies de pijn? Wat voor soort hoofdpijn is het? Hoe is de verhouding tussen de vermoeidheid en het normale activiteitenpatroon? Vervolgens zal hij naar de oorzaak van de klachten vragen, wanneer ze begonnen zijn en of er verbetering of verslechtering is opgetreden.
Het is van groot belang dat de patiënt tot in de kleinste details vertelt hoe het ongeluk zich heeft voltrokken. Bij een auto-ongeluk moet men weten in welke positie het hoofd van het slachtoffer zich tijdens de klap bevond, met welke snelheid de voertuigen tegen elkaar botsten, van welk merk en type de auto's waren, van welke kant de auto werd aangereden, of er wel of niet een gordel werd gedragen, of het slachtoffer buiten bewustzijn is geweest en hoe hij zich direct na het ongeluk voelde. Al deze variabelen hebben invloed op de ernst en aard van het whiplash-syndroom.
Na de anamnese (het verslag van de patiënt) met aandacht beluisterd te hebben, zal de arts in de meeste gevallen een lichamelijk onderzoek doen. Daarbij wordt gelet op het functioneren van de spieren in het nek- en schoudergedeelte en zal worden nagegaan in hoeverre de patiënt belemmerd wordt in zijn bewegingen. Daarna kan de arts eventueel de voorlopige diagnose whiplash-trauma stellen.
In het algemeen luidt het advies: 'Enkele dagen rust nemen.' Strikte bedrust is niet noodzakelijk; de patiënt moet het rustig aan doen, wat gaan wandelen en zich ontspannen. Het is beslist af te raden om meteen weer te gaan werken. Nemen de klachten af, dan kan de patiënt wel weer aan het werk gaan, eventueel in deeltijd. Zoals al eerder is vermeld, hoeft niet elk whiplash-trauma te leiden tot klachten die maandenlang aanhouden. Veel patiënten hebben maar gedurende enkele weken klachten.

Verwijzing naar de specialist
Als de arts een whiplash-trauma heeft geconstateerd en de klachten zijn niet ernstig, dan is bovengenoemde behandeling voldoende.

Zijn de klachten echter wel ernstig of breiden ze zich uit in de weken na het ongeval, dan is het zaak dat de patiënt zo snel mogelijk en op een adequate manier naar een specialist wordt verwezen. Bij ernstige nekpijn is een röntgenonderzoek van de nek noodzakelijk om eventuele breuken van de halswervels te kunnen opsporen. Als dit het geval is, zijn de orthopedisch chirurg en de neurochirurg de behandelende specialisten.
Overigens zijn er vele medische specialismen bij het whiplash-letsel betrokken omdat de klachten zo ver uiteenlopend kunnen zijn. Zo kunnen whiplash-patiënten terechtkomen bij de neuroloog, de neurochirurg, de orthopedisch chirurg, de neuropsycholoog, de psychiater, de oogarts, de keel-, neus- en oorarts, de kaakchirurg, de oogarts, de röntgenoloog en de internist.
Het voert te ver om alle onderzoekmethoden te beschrijven die nodig zijn voor het opsporen van afwijkingen als gevolg van een whiplash-trauma. Na een ongeval zijn de traumatoloog, de orthopeed en de neuroloog meestal de specialisten die het eerst te hulp worden geroepen. Bij afwezigheid van ernstige afwijkingen kan de huisarts het overnemen. Fysiotherapie, chiropractie en andere behandelmethoden kunnen in dit stadium nuttig zijn, vooropgesteld dat de behandelaars zich beperken tot bewegingstherapieën en zo min mogelijk directe actieve methoden toepassen.
Helaas is er op landelijk niveau nog geen standaardprotocol voor begeleiding, onderzoek en behandeling van whiplash-patiënten voorhanden. Een recente publikatie in het medisch vakblad *Spine* (1995) geeft informatie over de behandeling en begeleiding van whiplash-patiënten. Het is het eerste artikel waarin meer dan dertig specialisten gezamenlijk tot een eensluidend advies komen. Wellicht dat door deze informatie en verder onderzoek op den duur een standaardbehandelingsprotocol kan worden geformuleerd en ingevoerd.
Op dit moment is het in principe nog de huisarts die de onderzoeken en behandelingen coördineert. Hij zal ervoor moeten zorgen dat de patiënt niet verdwaalt in de doolhof van behandel- en onderzoekstrajecten. Onnodige en niet-effectieve behandelingen verhogen namelijk de kans op een langdurige ziekteperiode. Het merendeel van de patiënten heeft gelukkig geen last van extreme klachten, bij hen beperken de klachten zich tot een matige verandering in het dagelijks functioneren.

Second opinion
Welke route de patiënt vervolgens door het medische circuit neemt, is afhankelijk van het klachtenpatroon en zal daarom bij iedereen verschillen. Voor een whiplash-patiënt zijn de huisarts en de fysiotherapeut vaak de enige vaste bakens die hem door het onzekere revalidatieproces kunnen loodsen. Als de patiënt twijfels heeft over de kennis van de huisarts of fysiotherapeut op het gebied van het whiplash-trauma, kan hij een *second opinion* aanvragen of een andere behandelaar zoeken. Ondanks de vele medische publikaties, congressen en cursussen die er de laatste jaren op dit gebied zijn georganiseerd, zijn er nog veel medici met betrekkelijk weinig kennis van deze aandoening. En een patiënt die serieuze, chronische klachten heeft kan beter geen risico's met zijn gezondheid nemen.
Als de whiplash-patiënt smartegeld, onkostenvergoeding of schadevergoeding van de aan het ongeval schuldige partij heeft geëist, dan kan hij door de verzekeringsmaatschappij gevraagd worden allerlei medische testen te ondergaan. Er zijn inmiddels een aantal centra in het land die zich hebben toegelegd op het onderzoeken en beoordelen van het functie- en arbeidsverlies van whiplash-patiënten.

Test- en onderzoekmethoden

Lange tijd heeft de opvatting geheerst dat als beschadigingen niet neurologisch aantoonbaar zijn, de klachten van een patiënt ook geen objectief aantoonbare basis hebben en dus eigenlijk niet bestaan. Omdat whiplash-patiënten doorgaans vele lichamelijke en psychische klachten hebben, waarvan de oorzaak met de huidige technieken niet objectief aantoonbaar gemaakt kan worden, zijn ze vanuit dit standpunt gezien dus aanstellers, simulanten en smartegeldjagers. Het veranderende medisch denken heeft deze opvatting inmiddels wel achterhaald.
Het klachtenpatroon van whiplash-patiënten vertoont onafhankelijk van het land waar ze wonen of het volk waartoe ze behoren, overal ter wereld een verbluffende overeenkomst. En hoewel er nog steeds geen methode bestaat die objectief kan vaststellen of iemand kleine beschadigingen heeft in het hoofd-halsgebied en in hoeverre de klachten van de patiënt hierdoor worden veroorzaakt, zijn er wel wetenschappers die zich inspannen om meer verfijnde onderzoekmethoden te ontwikkelen die dat wel kunnen aantonen. Het zou te ver voeren om de wetenschappelijke achtergronden en

de precieze uitvoering van deze testmethoden in dit boek te beschrijven. Hier volgt een korte beschrijving van test- en onderzoekmethoden waaruit duidelijk wordt hoe moeilijk het is om objectief aan te tonen dat iemand klachten heeft die samenhangen met een whiplash-trauma.

Neurologisch onderzoek

Klachten zoals pijn, krachtvermindering, geheugen- en concentratiestoornissen, duizeligheid en vermoeidheid suggereren afwijkingen in het centrale zenuwstelsel. Het gewone, routinematige neurologische onderzoek levert vaak weinig of geen afwijkingen op. Meer gespecialiseerde onderzoekmethoden moeten dan helpen bij verder onderzoek. Zo zijn met de methoden elektro-encefalografie (EEG) en myografie vaak wel stoornissen te zien. Bij een EEG wordt via elektroden die op de schedel bevestigd worden de hersenactiviteit gemeten en bij myografisch onderzoek wordt gekeken naar de spieractiviteit. Röntgenonderzoek, tegenwoordig steeds vaker via de scan-methode uitgevoerd, kan ook meer informatie opleveren.

Orthopedisch onderzoek

Orthopedisch onderzoek richt zich vooral op botafwijkingen. Bij een röntgenonderzoek zijn breuken, scheuren en andere afwijkingen duidelijk te zien; dat zijn aantoonbare, ernstige beschadigingen die veel klachten kunnen veroorzaken. Kleine afwijkingen van wervels en tussenwervelschijven kunnen echter ook de oorzaak zijn van uitgebreide klachten, vooral als hierdoor zenuwwortels of het ruggemerg zelf wordt ingedrukt.
Om dat na te gaan is MRI-onderzoek (magnetic resonance imaging- of kernspinresonantie-onderzoek) onmisbaar. Bij dit onderzoek wordt gebruik gemaakt van een sterk magneetveld om stoornissen in zachte weefsels aan te tonen. In tegenstelling tot röntgenonderzoek dat vooral informatie geeft over kalkhoudend weefsel zoals botten en gewrichten, geeft een MRI-onderzoek vooral inzicht in de onregelmatigheden in sterk waterhoudende structuren, zoals bijvoorbeeld het hersenweefsel. Ook bij MRI-onderzoek zijn alleen de ernstige beschadigingen in het weefsel waar te nemen; voor kleine scheurtjes en puntbloedingen is deze methode niet fijn genoeg.

KNO-onderzoek

De keel-, neus- en oorarts is een zintuigspecialist, die ook verstand heeft van slik- en spraakstoornissen en van afwijkingen in de neus-

keelholte. Vrijwel iedere whiplash-patiënt heeft wel klachten op dit gebied. Een speciaal onderdeel van het KNO-onderzoek is het evenwichtsonderzoek ofwel het vestibulair onderzoek. Dit onderzoek kan van belang zijn omdat het informatie geeft over eventuele functiestoornissen in het centrale zenuwstelsel.
Een veelvoorkomende klacht van whiplash-patiënten is duizeligheid. Meestal wordt de klacht omschreven in termen als 'een beetje zweverig' of 'een licht gevoel in het hoofd'. Maar ook de kermisachtige duizeling komt bij patiënten voor. Een draaierig of zweverig gevoel kan een teken zijn van stoornissen in het vestibulaire systeem. Het evenwichtssysteem krijgt zijn informatie van de evenwichtsorganen via het binnenoor, via de ogen (de mens weet vanuit zijn ervaring wat horizontaal en verticaal is) en via waarnemingsorgaantjes in de nek- en andere spieren.
De lichaamscellen hebben ook kleine sensoren die de richting van de zwaartekracht waarnemen als we ons bewegen en het algemene lichaamsgevoel van 'zwaarte' draagt eveneens bij aan de informatievoorziening van het evenwichtssysteem. Alle informatie die naar het evenwichtsstelsel toegaat, wordt verwerkt in de hersenstam, van waaruit het houdingsevenwicht van de mens wordt geregeld. In een reflex zorgt het lichaam dat het zich aanpast aan alle bewegingen die we maken. Als iemand bijvoorbeeld naar één punt kijkt en het hoofd naar links draait, dan maken de oogspieren een tegengestelde beweging om dat punt in de gaten te kunnen blijven houden. In dit geval geven de nekspieren informatie over de versnelling van het hoofd, die informatie wordt in de hersenen verwerkt en deze zenden een signaal uit dat zorgt voor de oogreflex. Door dit principe kunnen automobilisten op hobbelige wegen gewoon op de weg blijven kijken terwijl hun hoofd op en neer schokt.
Op dezelfde manier sturen ook de spieren uit de rest van het lichaam informatie via de evenwichtskernen naar de kleine hersenen en die sturen weer signalen naar de spieren terug om de houding te corrigeren. Zo is het mogelijk dat iemand in een drukke winkel tussen de mensen door laveert zonder tegen iemand op te botsen. Hoewel het evenwichtssysteem dus informatie krijgt vanuit allerlei lichaamsdelen, spelen de ogen toch een heel belangrijke rol in het corrigeren, stabiliseren en besturen van het lichaam. Vandaar dat veel onderzoek naar het functioneren van het evenwichtssysteem zich toespitst op het meten van de oogbeweging.

Otoneurologisch onderzoek

Het uitgebreide evenwichtsonderzoek, ook wel otoneurologisch onderzoek genoemd, dat door de KNO-arts wordt uitgevoerd, maakt gebruik van het registreren van oogbewegingen. Professor Oosterveld van het AMC legt het onderzoek uit.

> Omdat het evenwichtsorgaan zo alom aanwezig is in het centrale zenuwstelsel, is het heel goed mogelijk dat bij een beschadiging van de hersenstam ook dit zintuig wordt getroffen. Dat is te meten via het oculo-motorisch systeem, het oogbewegingspatroon, dat door het evenwichtsstelsel wordt beïnvloed. Als er bij whiplash-patiënten subtiele oogbewegingsstoornissen waar te nemen zijn, zoals bijvoorbeeld vertragingen in de reflextijd, dan kan dat een aanwijzing zijn dat er sprake is van een lichte hersenbeschadiging. Omdat het oogbewegingssysteem volkomen onbewust en automatisch werkt, is de test door de proefpersonen niet te beïnvloeden en kan daarom gelden als een objectieve testmethode. Wij hebben deze test vaak uitgevoerd, ook op verzoek van verzekeringsmaatschappijen, maar hij was eigenlijk nog niet verfijnd genoeg. Een vertraagde reactie van de oogreflex kan ook veroorzaakt worden door vermoeidheid ten gevolge van het onderzoek zelf. De proefpersonen moeten zich tijdens de test goed concentreren en dat kan zelfs voor gezonde mensen al heel vermoeiend zijn. Mijn collega dokter Kortschot is onlangs gepromoveerd op het onderwerp whiplash-trauma. Zij heeft dezelfde test uitgevoerd bij veertig whiplash-patiënten en veertig gezonde mensen, waaruit bleek dat de patiënten al in het begin trager reageerden dan de gezonde controlegroep. Op het eind van de test waren de reflex-bewegingen van de whiplash-patiënten nog meer vertraagd, terwijl in de controlegroep de reflex-bewegingen heel normaal waren. Dit wijst erop dat de test niet zo veel concentratie vereist dat normale mensen er moe van worden, maar dat de test voor whiplash-patiënten wel een zware opgave is. Op deze manier heeft zij de factoren vermoeidheid en concentratiegebrek uitgeschakeld als mogelijke oorzaak voor de vertraagde reflexbewegingen.
> Dokter Kortschot heeft het algemene otoneurologisch onderzoek inmiddels bij zeshonderd patiënten verricht. Zij vond opmerkelijke verschillen tussen de bevindingen bij patiënten en bij gezonde mensen. Het hoog ontwikkelde centrale evenwichtsstelsel is gevoelig voor de kleine beschadigingen die door whiplash-letsel kunnen ontstaan. Dit is uitzonderlijk, omdat het evenwichtsorgaan

in het binnenoor slechts zelden beschadigd raakt. Dit orgaan is extreem sterk en is bestand tegen hevige schokken en geweld.

Otoneurologisch onderzoek wordt onder andere verricht in het Amsterdams Medisch Centrum (AMC). Het aantonen van functiestoornissen in het centrale zenuwstelsel door oogbewegingsonderzoek betekent dat er op een objectieve manier schade is aangetoond, maar heeft verder geen grote consequenties voor de behandeling.

Statolietenonderzoek

Het evenwichtsorgaan wordt dus niet zomaar beschadigd, daar zijn extreme krachten voor nodig. Een bezoekje aan de kermis, waarbij vooral botsauto's en snel ronddraaiende attracties potentiële boosdoeners zijn, levert meestal geen letsel op. Maar wanneer de versnelling extreem wordt vergroot kan het evenwichtsorgaan wel beschadigd raken, zo is ook uit dierexperimenteel onderzoek gebleken. Dit letsel is te vergelijken met beschadiging van het gehoor door lawaai en beschadigingen van het netvlies door laserlicht.
Het evenwichtsorgaan bestaat uit twee systemen; het kanalensysteem dat gevoelig is voor draaiversnellingen (bijvoorbeeld een pirouette) en het statolietensysteem dat gevoelig is voor versnellingen in horizontale en verticale richtingen (bijvoorbeeld een omlaagsuizende lift).
Omdat het statolietensysteem gevoelig is voor grote voor- en achterwaartse versnellingen, wordt dit systeem dus het meest belast bij een achteraanrijding. De onderzoekers Kingma en Stegeman passen technieken toe om het functioneren van het statolietensysteem te meten. Dit gebeurt onder andere door bestudering van oogbewegingen en evenwichtsreacties.
Uit de onderzoeken met whiplash-patiënten en controlegroepen zonder nekletsel is gebleken, dat het statolietensysteem bij een deel van de whiplash-patiënten minder goed functioneert. Ook het statolietenonderzoek wordt gebruikt om de diagnose van de huisarts en neuroloog te bevestigen tegenover de verzekeringsmaatschappijen. Statolietenonderzoek gebeurt onder andere in het Academisch Ziekenhuis in Maastricht.
Evenwichtsstoornissen kunnen aanleiding geven tot veel verschillende klachten. Omdat het lichaam niet meer automatisch reageert op informatie vanuit de zintuigen, vereist het uitvoeren van hele gewone taken als het lopen in een drukke winkelstraat of het wer-

ken achter een tekstverwerker meer dan normale aandacht en concentratie. Hierdoor wordt de patiënt vermoeid en is hij minder belastbaar. Maar altijd blijft de vraag of dit een gevolg is van het ongeluk dat de whiplash-patiënt heeft gehad. Hoe langer de tijd tussen het ongeluk en het onderzoek, hoe groter de kans dat de beschadiging door iets anders is veroorzaakt. Daarom is het zaak een dergelijk onderzoek in een niet te laat stadium te doen.

Neuropsychologisch onderzoek
In de neuropsychologie wordt de relatie tussen hersenfuncties en gedrag bestudeerd. Omdat de subtiele beschadigingen als gevolg van een whiplash-trauma zich voornamelijk in de ingewikkelde structuren van de hersenen en het centrale zenuwstelsel bevinden en zowel het geestelijk als het lichamelijk functioneren van de patiënt aantasten, ligt het voor de hand dat de neuropsychologie zich met dit fenomeen bezighoudt.
Binnen deze wetenschap kan het functioneren van whiplash-patiënten beoordeeld worden aan de hand van een aantal gegevens. Zo wordt de patiënt, net als bij de huisarts, uitvoerig gevraagd naar zijn eigen bevindingen. Dat levert al heel veel informatie op, maar die is niet objectief. Het persoonlijke verhaal wordt vergeleken met andere informatie, die wordt verkregen uit het observeren van het gedrag van de patiënt. Daarnaast kan de neuropsycholoog door gestandaardiseerde en gevalideerde meetinstrumenten als tests en vragenlijsten, inzicht krijgen in de sterke en zwakke plekken van het functioneren van de patiënt.
Het gedrag kan in het algemeen worden onderverdeeld in intellect, emotionaliteit en controle. Hoewel deze systemen alle drie van belang zijn voor het goed functioneren van de mens, richt de neuropsychologie zich voornamelijk op het intellect, het informatieverwerkende systeem. Men onderzoekt in hoeverre de patiënt informatie in zich op kan nemen, kan onthouden, kan organiseren en weer door kan geven. Daarbij wordt rekening gehouden met de persoonlijkheidskenmerken, de leeftijd en de lichamelijke conditie van de patiënt en met de ernst en duur van de aandoening. Iedereen reageert verschillend op lichamelijk letsel. De vraagstelling en testmethode van het neuropsychologisch onderzoek worden dus ook steeds meer afgestemd op de individuele patiënt.
Door vragen en opdrachten wordt een veelheid aan hersenfuncties en daarmee samenhangende gedragsfuncties onderzocht. Er wordt bijvoorbeeld gekeken naar de specifieke effecten van hersenletsel,

waarbij de functies van elk deel van de hersenen afzonderlijk worden getest. Men kijkt hoe het gedrag van de patiënt is als hij taken moet uitvoeren waarbij de verschillende hersengebieden tegelijk moeten werken (bijvoorbeeld een hink-stapsprong maken en tegelijkertijd het alfabet opzeggen). Daarnaast worden de algemene effecten van hersenletsel op gedrag gemeten, zoals concentratiestoornissen, initiatiefverlies en vermoeidheidsverschijnselen na lichte mentale of lichamelijke inspanning.
Bij het neuropsychologisch onderzoek wordt bovendien rekening gehouden met de persoonlijke situatie van de patiënt; de gezinssamenstelling, het soort werk dat iemand doet en welke opleiding hij heeft. Ook wordt de patiënt gevraagd zichzelf te beschrijven en zijn visie op zijn eigen toekomst te geven. Met alle informatie die uit dit onderzoek naar voren komt, kan de neuropsycholoog het functioneren van de patiënt beoordelen. De uitkomsten van het neuropsychologisch onderzoek kunnen een waardevolle bijdrage leveren aan de diagnose door de neuroloog. De patiënt krijgt op basis van de onderzoekgegevens advies over zijn leefstijl en ook de behandeling kan optimaal worden aangepast aan zijn functioneren. Daardoor heeft neuropsychologisch onderzoek ook therapeutische waarde. Neuropsycholoog Erik Matser legt het als volgt uit.

Halsletsel moet als een cluster gezien worden. Het is niet alleen anatomisch èn het is niet alleen psychisch. Als men alleen naar de lichamelijke kanten van de aandoening kijkt, is bijvoorbeeld het gegeven dat de conditie van whiplash-patiënten verslechtert na verloop van tijd, niet te verklaren.
Als de diagnose whiplash-trauma is gesteld, dan moet de patiënt op de eerste plaats goed geïnformeerd worden, zodat hij inzicht krijgt in de aard van de aandoening en welke gevolgen dit heeft voor zijn functioneren. Vervolgens moet hij dat accepteren en zijn levensstijl eraan aanpassen. Dat is niet niks. Daarbij speelt de persoonlijkheid van de patiënt ook een grote rol. Mensen die voor het ongeluk heel perfectionistisch waren, zullen het met hun beperkingen heel moeilijk krijgen. Bij hen kost het extra emotionele inspanning om te accepteren dat alles niet meer zo gaat als ze het zich hadden voorgesteld. Als iemand die altijd gezond is geweest en top-prestaties heeft geleverd opeens te maken krijgt met allerlei beperkingen, dan zal hij daarop vrijwel zeker een negatieve reactie vertonen. De patiënt krijgt als het ware stress van alle lichamelijke en psychische klachten.

Wij nemen bij de behandeling van whiplash-patiënten steeds als uitgangspunt wat iemand nog kan. Van daaruit gaan we trainen, zowel fysiek als psychisch. We proberen mensen ook te leren een andere houding aan te nemen. Bijvoorbeeld door meer te letten op de verhouding tussen inspanning en ontspanning, tijdsdruk te vermijden en de grenzen van je kunnen niet te overschrijden. Als je werkt, concentreer je dan op één taak. Vul bijvoorbeeld de hele ochtend alleen orders in. Geen telefoontjes tussendoor aannemen en niet naar vergaderingen gaan. Door structuur aan te brengen in het takenpakket en tegelijkertijd de tijdsdruk eraf te halen, gaan whiplash-patiënten weer presteren. Daardoor stijgt het zelfvertrouwen en komen ze stapje voor stapje weer dichter bij hun oude niveau.
Die whiplash is een gegeven. Als de klachten jaren aanhouden is de kans groot dat iemand niet meer terugkomt op zijn oude niveau, maar dat misschien wèl heel dicht kan benaderen. Wij streven ernaar de whiplash-patiënt zo op fysiek, psychisch en sociaal gebied te begeleiden, dat hij weer een gewoon leven kan leiden.

Neuropsychologisch onderzoek wordt op verschillende plaatsen in Nederland uitgevoerd. Dit onderzoek wordt vooral gedaan wanneer verzekeringskwesties een rol gaan spelen bij patiënten die niet meer mee kunnen komen in het dagelijks leven of die allerhande psychologische problemen hebben. Omdat men in de neuropsychologie nog niet zo heel lang aan whiplash-onderzoek doet, worden de onderzoekresultaten op internationaal niveau verzameld en geëvalueerd. Naarmate er meer gegevens bekend worden, zal ook deze onderzoekmethode steeds verfijnder worden.

De waarde van de diagnose door de arts

Een van de meest gehoorde klachten van whiplash-patiënten is dat ze niet met een röntgenfoto in de hand kunnen zeggen: 'Kijk die zwarte vlek. Daar is er van alles beschadigd en daarom heb ik steeds allerlei klachten.' Vaak is er zowel aan de buitenkant als aan de binnenkant van de patiënt nauwelijks enig letsel te bespeuren. Toch voelt hij zich ellendig. Om begrip en medeleven te krijgen van zijn medemens moet hij uitleggen wat er dan precies aan de hand is. Ga daar maar eens aan staan. Veel mensen willen toch harde bewijzen zien, voordat ze geloven dat iemand echt ziek is.

Vandaar dat een door de medische stand zwart op wit gezette diagnose 'whiplash-trauma' als erkenning van hun aandoening zo belangrijk is voor veel patiënten. Wanneer er een officiële diagnose is gesteld, voelen ze zich sterker. Ze zijn dus echt ziek. Het lijkt soms alsof de whiplash-patiënt dan eindelijk recht heeft op klachten en op begrip van de buitenwereld. Bovendien is een diagnose door de neuroloog ook waardevol voor allerlei praktische zaken rondom de aandoening, zoals het treffen van regelingen met de werkgever of het GAK, het afhandelen van verzekeringskwesties en het aanvragen van (financiële) hulpverlening.
Een diagnose, al dan niet bevestigd door een objectief onderzoek, heeft overigens weinig consequenties voor de behandeling. De patiënt wordt door de diagnose misschien wel meer serieus genomen door de buitenwacht, maar hij zal uiteindelijk toch zelf moeten leren omgaan met de gevolgen van het whiplash-trauma. Gedegen neuropsychologisch onderzoek kan wel inzicht geven in het functioneren van de whiplash-patiënt en kan daarom een waardevolle aanvulling zijn in het revalidatietraject.

5 *De lichamelijke behandeling*

Het ziekteverloop

Een van de meest vervelende aspecten van een whiplash-trauma is het feit dat artsen en specialisten in de regel niet weten hoe de klachten zich zullen ontwikkelen. In de literatuur wordt het verloop van het whiplash-syndroom vaak onderverdeeld in drie stadia: de vroege eerste fase, die loopt vanaf het ongeluk tot drie maanden erna, de late eerste fase, die de drie volgende maanden bestrijkt, en de tweede fase, die na zes maanden ingaat. Men spreekt ook van een acute, een subacute en chronische fase. Ongeveer de helft van de patiënten is binnen drie maanden klachtenvrij. Van de overblijvers heeft vervolgens weer meer dan de helft binnen zes maanden geen klachten meer.
Als de patiënt echter na een half jaar nog ernstige klachten heeft, dan heeft zich een chronisch ziektebeeld ontwikkeld dat bekend staat als het late whiplash-syndroom. Bij ongeveer tien à vijftien procent van de whiplash-patiënten blijkt de aandoening chronisch te zijn. Dit heet ook wel een post-whiplash-syndroom.
Na circa anderhalf à twee jaar is bij de meeste patiënten een eindstadium in het ziektebeeld bereikt. Dat wil zeggen dat er weinig tot geen verbetering meer zal optreden en dat de patiënt de klachten die hij heeft waarschijnlijk zal houden. De klachten kunnen in de loop van de tijd wel vervagen met behulp van een goede behandeling en door aanpassingen in de manier van leven van de patiënt. Een klein aantal patiënten, circa vijf procent, blijft het hele leven ernstige beperkingen ondervinden als gevolg van het whiplash-trauma.
Voor zowel niet-chronische als chronische patiënten geldt dat ze elk hun eigen klachtenpatroon en bijbehorend ziekteverloop hebben.
De aard en de ernst van de klachten bepalen in samenhang met een aantal externe factoren, zoals de toegepaste behandelmethoden, de persoonlijkheidsstructuur van de patiënt en de kwaliteit van de begeleiding die hij krijgt in zijn omgeving, hoe lang en hoe ernstig de whiplash-patiënt ziek blijft.

Behandelmethoden

De behandelmethoden die bij whiplash-patiënten worden toegepast lopen sterk uiteen. Of een behandeling effect heeft, is vooraf moeilijk te voorspellen en is afhankelijk van het klachtenpatroon en de fysieke en geestelijke reactie op een behandeling. Het whiplash-syndroom is nu eenmaal een veel complexere kwaal dan een gebroken arm of een spierontsteking. Bovendien is er nog te weinig objectief onderzoek gedaan naar de effectiviteit van de verschillende behandelmethoden om een standaardbehandelpatroon voor het whiplash-syndroom te kunnen voorschrijven.
In dit hoofdstuk wordt een aantal van de geschikte behandelmethoden, zowel uit de reguliere als de alternatieve gezondheidszorg, beschreven. Samen met de huisarts of specialist kan de patiënt bepalen welke methode het meest geschikt is voor zijn specifieke whiplash-syndroom.
Voor alle behandelingen geldt dat ze alleen effect sorteren als de patiënt alle vertrouwen heeft in de arts of therapeut en in de gekozen behandelmethode. Het is af te raden om als patiënt te gaan *shoppen* in het medische circuit. Vaak geeft een behandeling pas na maanden een goed resultaat en daarom is het raadzaam dat resultaat af te wachten alvorens meteen weer uit te kijken naar andere mogelijkheden. De meeste reguliere behandelmethoden worden (gedeeltelijk) vergoed door het ziekenfonds. Ongeveer 25 particuliere verzekeraars vergoeden ook alternatieve behandelmethoden, mits de behandelaar is aangesloten bij een beroepsvereniging en hij een controleerbare opleiding heeft gevolgd. Een aantal, voornamelijk alternatieve, behandelmethoden wordt echter niet vergoed door het ziekenfonds of de particuliere verzekeraars. De patiënt zou zich daarom eerst moeten oriënteren op de betaalbaarheid, betrouwbaarheid en effectiviteit hiervan alvorens eraan te beginnen.

De halskraag

Het meest herkenbare, uiterlijke kenmerk van een whiplash-patiënt is de dikke, huidkleurige halskraag, meestal gemaakt van schuimplastic of een hardere soort kunststof. De kraag geeft steun aan de halswervelkolom en zorgt ervoor dat de nek stabiel blijft. In de eerste dagen na het ongeluk is het vooral van belang dat de weefsels zich kunnen herstellen. Het hele lichaam heeft dan veel rust nodig en de nek moet zo min mogelijk bewegen. Het dragen van een op

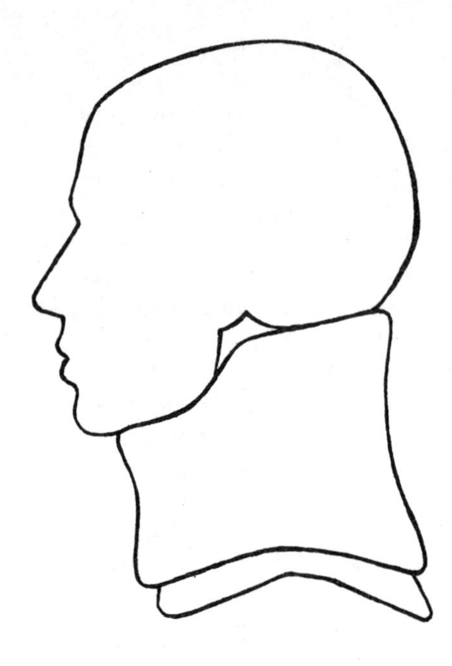

De halskraag

maat gemaakte halskraag kan daar een goede bijdrage aan leveren. De halskraag wordt alleen in de acute fase van het whiplash-syndroom voorgeschreven. In de medische wereld is er nog geen overeenstemming over het positieve effect dat de halskraag vooral in de eerste weken na het ongeluk zou kunnen hebben. Sommige artsen willen de kraag helemaal niet voorschrijven, omdat het 'vastzetten' van de nek een natuurlijk herstelproces van de spieren en weefsels in de weg zou kunnen staan. Andere artsen vinden het juist een zeer effectief middel om de nek de benodigde rust te gunnen, maar zijn het met elkaar eens dat de kraag maar twee tot hoogstens acht weken na het ongeluk gedragen zou moeten worden.
Na de eerste twee weken zou het bovendien aan te raden zijn om de kraag langere tussenpozen niet te dragen en zo het gebruik ervan af te bouwen. Voor patiënten die langer dan twee maanden last hebben van het whiplash-syndroom, is het tijdelijk dragen van de kraag wel raadzaam bij extreme vermoeidheid en ook wanneer men als passagier lange auto- of treinreizen maakt. Wanneer de whiplash-patiënt vaak al rechtop zittend indut, kan de halskraag helpen bij het vermijden van het ongemakkelijke en pijnlijke voorover- of opzijknikken van de nek dat daarbij vaak voorkomt.

Hoewel de specialisten op het gebied van whiplash-trauma het erover eens zijn dat het te lang doordragen van de kraag eerder schadelijk dan bevorderlijk is voor het herstel, grijpen veel patiënten toch steeds terug op dit hulpmiddel. In de eerste plaats omdat het steun en verlichting geeft aan het gebied rondom de halswervelkolom. Het zelfstandig rechtop houden van het hoofd kost in de acute fase namelijk veel energie en veroorzaakt pijn in de schouder- en nekspieren. In de tweede plaats omdat de halskraag van groot psychologisch belang is voor de patiënt. Het is de enige manier voor whiplash-patiënten om aan de buitenwereld duidelijk te maken dat ze ergens last van hebben. Pas het dragen van een kraag maakt ze tot patiënt. De anekdote van Marijke van de Ven (29) is hier een goed voorbeeld van.

> Soms moest ik noodgedwongen in de spits de tram nemen op een druk traject. Meestal was ik niet snel genoeg om een zitplaats te kunnen bemachtigen. Dan stond ik tussen de opeengepakte mensen in een wiebelende tram. Hoewel ik dapper probeerde om het vol te houden, werd ik toch vaak 'niet goed'; ik werd dan helemaal warm, ging zweten en kreeg duizelingen. Toen ik een keer aan iemand vroeg of hij misschien zijn zitplaats af wilde staan omdat ik tijdens de rit stond te wankelen op mijn benen, keek hij me aan alsof ik helemaal van lotje getikt was. Ik zag er blijkbaar niet ziek genoeg uit. Sinds die tijd droeg ik altijd mijn kraag in de tram, ook al had ik die niet meer nodig om mijn nek te ondersteunen. En ja hoor, telkens als ik een halskraag droeg, waren de mensen wel bereid voor me op te staan.

Wanneer de kraag als hulpmiddel slechts korte periodes gedragen wordt om andere ongemakken te voorkomen, dan kan dat geen kwaad. Maar als het dragen van de halskraag na een aantal weken een gewoonte of een noodzaak voor de patiënt wordt, dan kan daarmee het herstel vertraagd worden.

Rust

In de eerste fase van het whiplash-syndroom is rust één van de belangrijkste voorwaarden voor herstel. Sommige specialisten schrijven bedrust voor in de eerste twee à drie dagen na het ongeval. Anderen raden patiënten aan hun activiteiten in elk geval een tijdlang sterk te beperken; dat wil zeggen niet gaan werken, geen huishoudelijke taken uitvoeren, niet sporten enzovoort. In de eerste

drie weken na het ongeluk krijgt de whiplash-patiënt meestal rust in combinatie met een halskraag en fysiotherapie voorgeschreven. De fysiotherapie bestaat in die fase voornamelijk uit isometrische oefeningen die gericht zijn op het herstellen van het spier- en bindweefsel waarbij de patiënt niet hoeft te bewegen.
Na een aantal weken kan de patiënt weer wat meer activiteiten gaan ontplooien, hoewel hij er wel rekening mee moet houden dat hij lang niet meer zoveel kan als voor het ongeluk. Voor alle activiteiten geldt: stoppen als het pijn doet of als men last krijgt van duizelingen of extreme vermoeidheid. Een goed evenwicht vinden in de afwisseling van activiteit en rust is voor de whiplash-patiënten van groot belang.

Slaapstoornissen
Niet iedereen kan zich goed ontspannen. Veel whiplash-patiënten krijgen last van slaapstoornissen omdat ze uit vermoeidheid vaak geneigd zijn veel overdag te slapen en zo hun slaapritme te verstoren. Pijn is een andere oorzaak van slecht slapen. Pijnprikkels stimuleren de hersenen tot activiteit en bemoeilijken de overgang van waken naar slapen. Daarnaast zorgen pijnprikkels ervoor dat de patiënt onrustig slaapt en soms vroegtijdig wakker wordt. Slaaptabletten bieden in zo'n geval geen uitkomst, omdat ze het werkelijke probleem niet aanpakken. Vaak is een pijnstiller effectiever dan een slaaptablet. Patiënten met slaapstoornissen doen er verstandig aan zoveel mogelijk hun normale slaapritme aan te houden. Wie uiterst passief de dag doorbrengt heeft te veel energie over en kan 's nachts niet tot rust komen. Het ondernemen van activiteiten, ook buitenshuis, is daarom zeer aan te raden. De aanschaf van een goed hoofdkussen, een ondersteunende matras of een waterbed kan een heilzame uitwerking hebben op het slaapproces van de patiënt. De slaaphouding is, zeker voor mensen met veel pijn, essentieel voor een goede nachtrust. In overleg met de arts of fysiotherapeut kan er bepaald worden welke houding het meest geschikt is.
Het alcoholische slaapmutsje, een populair slaapmiddel, is overigens niet bevorderlijk voor het slapen. Het is een bekend gegeven dat whiplash-patiënten extra gevoelig zijn voor stimulerende middelen zoals alcohol, sigaretten, cola, koffie en thee. Daardoor heeft alcohol voor het slapen gaan een tegengesteld effect; de patiënt slaapt er wel eerder door in, maar de slaap daarna is meestal onrustig. Hierdoor gaat het heilzame effect verloren. Andere eenvoudige huismiddeltjes als lichte massage, warme melk met honing of een

warm bad voor het slapen gaan kunnen wel goed werken.
Een goede nachtrust is heel belangrijk voor whiplash-patiënten. Wie goed slaapt, functioneert overdag beter en heeft meer energie over om in het herstel van zijn lichaam te investeren. Voor patiënten bij wie het slecht slapen echt een groot en chronisch probleem wordt, zijn er speciaal ontwikkelde slaapcursussen. Informatie daarover is verkrijgbaar bij de huisarts of de gemeentelijke gezondheidsdienst.

Ontspanningsoefeningen
Net als goede nachtrust speelt de mogelijkheid tot ontspanning overdag een grote rol in het herstelproces van de whiplash-patiënt. Wie na de eerste fase weer terug wil naar de dagelijkse werkzaamheden, kan beter gedurende de dag enkele rustperioden inlassen. Het lichaam kan zijn voormalige conditie weer terugkrijgen door de mate van activiteit langzaam en met veel beleid weer op te bouwen. De inspanning van de patiënt moet gevolgd worden door een langere periode van ontspanning. Wie altijd druk bezig is geweest met het huishouden, het werk en allerlei andere activiteiten, vindt het vaak moeilijk om verplichte pauzes te nemen en niet op de gebruikelijke wijzen 'door te stomen'. Voor die groep is het wellicht een goed idee om heel gestructureerd te leren hoe men kan ontspannen. Er zijn veel therapieën die zich richten op de ontspanning van het lichaam, zoals ademhalingstherapie, yoga, de progressieve ontspanningstherapie van Jacobsen, zen-meditatie, (zelf)hypnose, transcendente meditatie enzovoort. Samen met de arts kan de whiplash-patiënt bepalen welke methode het best bij zijn persoonlijke situatie past.

Pijnbestrijding
De meest voorkomende klachten bij whiplash-patiënten zijn hoofdpijn en nekpijn, vaak ook met uitstraling naar de armen en schouders. Het hebben van pijn na een trauma is een normale zaak. Er is van alles beschadigd en het lichaam doet zijn uiterste best zich te herstellen waardoor andere lichaamsfuncties overbelast worden, wat pijn en vermoeidheid tot gevolg heeft. De pijnklachten zijn op allerlei manieren te bestrijden.

Koude
Vooral in de eerste twee dagen na het ongeluk is het goed de pijn te bestrijden door koudeprikkels. De pijnlijke plek wordt met ijs

bedekt waardoor de klachten verminderen. Daarnaast vernauwen door de toegevoegde koude ook de bloedvaten, wat eventuele vochtophopingen en bloeduitstortingen voorkomt. De ijsapplicatie kan zowel door de fysiotherapeut worden aangebracht als door de patiënt zelf.

Warmte

Als vervolgbehandeling op de koude-pakking, kan na de eerste dagen ook het verwarmen van de getraumatiseerde plek een oplossing zijn voor de pijn. Door de warmte vergroten de bloedvaten zich en kunnen de afbraakprodukten uit de weefsels beter worden afgevoerd, waardoor het herstel bevorderd wordt. Bovendien vinden veel patiënten warmte prettig en daardoor ontspannen onwillekeurig hun verkrampte spieren. De fysiotherapeut of andere behandelaar kan de warmte toedienen via een paraffine-pakking of waterzak. Maar de patiënt kan zelf ook voor plaatselijke warmte zorgen door bijvoorbeeld te gaan slapen met een kruik of warme doek in zijn nek, door zich door een infrarode lamp te laten bestralen, door onder een gerichte warme douchestraal te gaan staan of door een warm bad te nemen.

Massage

Over het masseren van pijnlijke lichaamsdelen bij whiplash-patiënten zijn de meningen verdeeld. Sommigen ontraden massage in de eerste weken van het whiplash-syndroom, omdat dit de irritatie van de beschadigde weefsels nog zou kunnen versterken. Anderen vinden het wel een goede behandelmethode, als deze maar heel subtiel wordt toegepast. Een lichte massage kan pijn verminderend en ontspannend werken en heeft vaak een positieve uitwerking op de geestesgesteldheid van de patiënt.

Prikkels

Een andere methode om de spierspanning te verminderen en de pijn te bestrijden, is het toedienen van fysische prikkels, zoals ultrageluid en zeer lichte elektrische stimulering van de zenuwen en spieren. Helaas is er op dit gebied nog maar weinig bekend over de resultaten die deze behandeling kan opleveren. Deze behandelingen kunnen alleen door gespecialiseerde therapeuten worden uitgevoerd.

Medicijnen
Natuurlijk kan pijn ook onderdrukt worden met medicamenten. Whiplash-patiënten die bijna dagelijks hoofdpijn of nekpijn hebben, kunnen dit bestrijden met pijnstillers die zonder recept verkrijgbaar zijn (paracetamol, aspirine enzovoort). Het is raadzaam deze tabletten slechts te gebruiken als de pijn te erg wordt en ze niet dagelijks te slikken. Wanneer de pijn ernstige vormen aanneemt, kan men de arts vragen om een sterker middel, dat alleen op recept bij de apotheek verkrijgbaar is. Deze middelen zijn zwaarder en hebben daardoor vaak bijwerkingen. Voor alle pijnstillers geldt dat men eerst zorgvuldig de bijsluiter moet lezen.
Ook op homeopathisch gebied zijn er verschillende pijnstillers (arnica, hypernicum enzovoort). In de apotheek en bij de drogist wordt over deze preparaten voorlichting gegeven. De homeopathisch arts of natuurgeneeskundig therapeut (zie: de *Gouden Gids*, rubriek alternatieve geneeswijzen en therapieën) kan er, na een gedegen diagnose, voor zorgen dat de whiplash-patiënt de juiste homeopathische geneesmiddelen inneemt. De natuurgeneeskundig therapeut in Rotterdam, Koetje, vertelt over zijn beroepspraktijk:

> Er komen veel mensen bij mij die zich niet in de reguliere gezondheidszorg willen laten behandelen of daar al uitbehandeld zijn. Een natuurgeneeskundig therapeut heeft geen geneeskundige opleiding op universitair niveau, maar heeft wel een vrij intensieve en langdurige opleiding gehad waarbij bijvoorbeeld vakken als anatomie en psychologie gewoon tot de basis behoren. Helaas is ons beroep nog niet beschermd, maar degenen die zich aangesloten hebben bij de beroepsvereniging zijn allen goed opgeleid en hun werk wordt op kwaliteit gecontroleerd door die vereniging. Net als gewone artsen zorgen wij dat we goed op de hoogte blijven van de nieuwe ontwikkelingen in ons vakgebied.
> Ik heb mij gespecialiseerd in verschillende alternatieve diagnostische en therapeutische technieken. Wanneer een patiënt bij mij komt luister ik, net als de gewone arts, eerst uitgebreid naar zijn verhaal. Whiplash-patiënten hebben over het algemeen een complex klachtenpatroon dat per patiënt verschilt. Door middel van het bestuderen van de iris in het oog (iriscopie), kan ik zien welke lichaamsdelen behandeld moeten worden. Ieder stukje van de iris correspondeert namelijk met een lichaamsonderdeel. Een verkleuring of afwijkende structuur betekent dat dat deel niet zo goed

functioneert. Andere diagnose-methoden die ik gebruik zijn elektro-acupunctuur, waarbij gekeken wordt naar eventuele storingen in de energiebanen van de patiënt, en kinesiologie, waarbij de spieren op een verandering in spierspanning getest worden. Daarnaast kan ik met verdunde homeopathische middelen ook testen welke organen niet goed meer werken. Het is te vergelijken met een allergietest: ik geef de patiënt een middel en kijk hoe hij daarop reageert. Natuurlijk pas ik niet alle diagnosemethoden toe op één patiënt, maar ik kijk wel heel zorgvuldig wat er precies aan de hand is. Het stellen van een eerste diagnose duurt in het totaal ongeveer anderhalf uur. Daarna krijgt de patiënt een recept mee naar huis. De medicamenten zijn alle op natuurlijke basis gemaakt van kruiden, bloemen of andere plantaardige produkten.
Whiplash-patiënten zijn bijvoorbeeld vaak gebaat bij een arnica-verdunning, een homeopathisch middel dat veel gebruikt wordt bij trauma-patiënten. Het haalt de 'stress' uit de cellen. Bij een chronisch whiplash-syndroom is het namelijk zo dat de lichamelijke functies vaak wel hersteld zijn, maar dat de cellen die boodschap nog niet hebben gekregen. Denk maar aan een verkrampte hand, je kunt hem niet bewegen en hij doet pijn, maar als de kramp over is, blijkt dat alle spieren normaal functioneren.
Voor de depressiviteit die whiplash-patiënten vaak parten speelt, schrijf ik soms een tinctuur uit de Bach-bloesemtherapie voor. De Engelse arts Bach ontdekte dat tincturen van bloemblaadjes vooral inwerken op het gemoed van mensen. Sommige bloemen hebben de kracht om angsten weg te nemen, andere zorgen dat patiënten het weer wat zonniger in gaan zien. Zo is er voor elke klacht een corresponderend medicament. Het is alleen wel zo dat de samenstelling nauwkeurig moet worden toegespitst op het klachtenpatroon van de individuele whiplash-patiënt. De patiënt kan de medicamenten bij de apotheek of drogist ophalen en met de therapie beginnen. Hij moet dan regelmatig terugkomen om te zien hoe het ziekteverloop is en of de receptuur daaraan aangepast moet worden. Het innemen van de medicamenten is natuurlijk niet voldoende, de patiënt moet daarnaast ook voldoende rust nemen, goed eten en slapen en zijn eigen grenzen niet te buiten gaan. Ik besteed veel aandacht aan de begeleiding van mijn patiënten, ze kunnen mij bijvoorbeeld elke dag op een bepaald tijdstip bellen met eventuele vragen en problemen. Door de patiënten serieus te nemen en er veel aandacht aan te besteden, win je hun vertrouwen, wat de behandeling alleen maar ten goede komt.

Acupunctuur en acupressuur

Een van de meest bekende alternatieve manieren om pijn te bestrijden is acupunctuur. Bij deze behandelmethode worden er naalden gestoken op specifieke plaatsen in het lichaam die in relatie staan met het beschadigde lichaamsdeel. Met bepaalde technieken kan via de naalden energie worden toe- of afgevoerd. Op deze manier kunnen de energiebanen in het lichaam weer hersteld worden. Een ander resultaat van acupunctuur is dat het lichaam endorfine aanmaakt, een natuurlijke pijnstiller.

Een wat lichtere vorm van acupunctuur is acupressuur, een techniek waarbij er alleen op bepaalde plaatsen druk wordt uitgeoefend. Zowel acupunctuur als acupressuur heeft nauwelijks bijwerkingen. De resultaten bij whiplash-patiënten zijn zeer wisselend.

Paranormale methoden

Sommige whiplash-patiënten vinden baat bij de zogenaamde paranormale methoden: magnetiseren, 'strijken' en behandeling op afstand. Bij patiënten die openstaan voor deze methoden en die een serieuze therapeut hebben, kan de behandeling aanslaan. De pijn verdwijnt niet helemaal, maar kan bij voldoende geloof in deze behandelmethode met behulp van 'hogere machten' wel draaglijker worden. Er is helaas nog weinig controle op deze beroepsgroep en daarom is het raadzaam dat de patiënt voor de behandeling voldoende informatie inwint om zichzelf te behoeden voor kwakzalverij.

Houding

Pijn kan ook veroorzaakt worden door een verkeerde houding. Veel whiplash-patiënten hebben de neiging om hun schouders op te trekken en hun hoofd voorover te laten hangen. Of om krom te gaan zitten door spierpijn in de schouders en rug. Deze verkrampte houding kan op den duur pijnlijke spieren en gewrichten tot gevolg hebben. Door fysiotherapie en behandelmethoden als Mensendieck en oefentherapie Cesar kan de houding van de patiënt worden verbeterd. Daarnaast kan aangepast meubilair, zoals een goede kantoorstoel, een hulpmiddel zijn om de houding te corrigeren en de pijn te verminderen.

Zenuwblokkades

Wanneer alle pijntherapieën niet aanslaan en de chronische whiplash-patiënt na jaren nog steeds elke dag pijn heeft, kan een blokkade van de betrokken zenuwen worden overwogen. In vrijwel alle grote steden bevindt zich in het ziekenhuis een pijn-poli, waar de blokkades chirurgisch, chemisch of elektrisch kunnen worden uitgevoerd. Het doorsnijden van de zenuwen verdient geen voorkeur, omdat daarbij altijd de kans op verlamming ontstaat. Tot zenuwblokkades wordt bij whiplash-patiënten alleen overgegaan als het heel langdurige en onbehandelbare gevallen met chronische pijn betreft. Het is een zware ingreep waarbij het overigens niet zeker is dat de pijn erdoor verdwijnt.

Het bevorderen van de beweeglijkheid

In de eerste paar weken van het whiplash-syndroom is rust het sleutelwoord bij het herstel, maar na een week of drie is het juist heel goed als de patiënt weer enige activiteit ontplooit. De patiënt moet zijn grenzen opnieuw ontdekken en leren herkennen. Zijn beperkingen zorgen ervoor dat het tempo waarin de bezigheden worden uitgevoerd achteruitgaat, dat hij niet meer zoveel activiteiten tegelijkertijd of achter elkaar kan uitvoeren en dat hij sommige dingen helemaal niet meer kan. Hij moet zich leren concentreren op één activiteit en die in een aangepast tempo uitvoeren. Autorijden en tegelijkertijd een gesprek voeren is bijvoorbeeld uit den boze. De meeste patiënten zien hun conditie met sprongen vooruitgaan als ze het aantal en de zwaarte van de activiteiten met beleid langzaam uitbreiden, rekening houdend met hun beperkingen. Na ongeveer twee maanden zijn de meesten weer in staat een groot deel hun dagelijkse bezigheden uit te voeren. Blijft het verwachte herstel echter uit en is de patiënt na een half jaar nog nauwelijks in staat om normaal te functioneren, dan zal er samen met de arts naar een therapie gezocht moeten worden om de bewegingsbeperkingen van de patiënt te minimaliseren.

Fysiotherapie

De meest voorgeschreven behandelmethode om de bewegingsbeperkingen te minimaliseren is fysiotherapie. De fysiotherapeut heeft meestal in de eerste fase gezorgd voor het herstel van de spieren, de botten en het bind- en zenuwweefsel via allerlei technieken en oefeningen. Daarna begint hij met coördinatie-oefeningen, evenwichtstraining en eventuele pijnbestrijding. Massage heeft in dit stadium weinig effect.

Manuele therapie
Er zijn ook whiplash-patiënten die gebaat zijn met behandeling door een manueel therapeut of door een chiropractor, in de volksmond ook wel 'bottenkraker' genoemd. Bij deze methoden staat de wervelkolom centraal. Door de gewrichten van de wervelkolom te manipuleren probeert men deze weer in de juiste stand zetten, zodat ze weer normaal kunnen functioneren. Dit heeft tegelijkertijd ook een heilzaam effect op het zenuwstelsel. Beide behandelmethoden zijn inmiddels geïntegreerd in de reguliere gezondheidszorg.
De osteopathie is een andere vorm van 'bottenkraken', die meer aansluit bij de alternatieve natuurgeneeskunde. De osteopaat combineert zijn behandeling, die ook gericht is op het losmaken en corrigeren van vastzittende gewrichten, met andere therapieën zoals voedingsvoorschriften, houdingscorrectie en gesprekstherapie.
Veel specialisten zijn tegen het manipuleren van de rug- of halswervels bij een whiplash-trauma. Omdat het zo'n heftige ingreep is, bestaat de kans op beschadiging van het spier- of bindweefsel. Ook hier geldt dat er samen met de huisarts of neuroloog overlegd moet worden of dergelijke behandelingen aan te raden zijn.

Het corrigeren van de lichaamshouding
Afwisseling van rust met activiteit is essentieel voor het herstelproces in de late eerste en in de tweede fase van het whiplash-syndroom. De fysiotherapeut kan, eventueel samen met een ergotherapeut, een activiteitenschema opstellen en daarbij ook adviezen geven over de juiste lichaamshouding tijdens de verschillende bewegingen. Soms kan door een kleine verandering in de houding van de patiënt de nek een stuk minder belast worden. Zo is het voor een whiplash-patiënt bijvoorbeeld beter om de boodschappentas aan de onderste kootjes van de vingers te laten hangen, in plaats van de vingers tot een vuist te krommen.
Ook met houdings- en bewegingstherapieën, zoals de Cesar-therapie en de Mensendieck-methode, kunnen whiplash-patiënten leren hoe ze beter met hun lichaam om kunnen gaan, zodat ze langer actief kunnen blijven en minder pijn hebben. Beide therapieën gaan uit van de individuele situatie van de patiënt en verbeteren vervolgens zijn houding door een speciaal voor hem ontworpen oefeningenschema.
Het kan heel nuttig zijn als de patiënt een soort dagboek bijhoudt, waarin hij aangeeft welke activiteiten hij heeft ondernomen en welke klachten daarbij zijn opgetreden. Aan de hand van die gegevens kan de arts of therapeut zijn behandeling bijstellen.

Vrijwel alle therapeuten die zich met whiplash-trauma's bezighouden, stimuleren het langzaam opvoeren van de belasting van het lichaam, omdat dit gunstig is voor het herstelproces. Alledaagse activiteiten als wandelen en fietsen zijn prima bezigheden om de conditie weer op te vijzelen. Een te snelle verhoging van de activiteiten leidt echter tot meer klachten en een dergelijke terugval is heel teleurstellend voor de patiënt. Bij deze aandoening is het helaas zo dat men op het moment van de inspanning niet in de gaten heeft hoe zwaar de tol is die men achteraf moet betalen. Een avond stappen of een kinderfeestje organiseren kan een week verplichte bedrust tot gevolg hebben.
Het is dus niet aanbevelenswaardig om bij de eerste tekenen van verbetering direct het levenstempo weer op te voeren. Sommige patiënten hebben echter juist een extreme tegengestelde reactie. Die zijn zo bang voor pijn bij het bewegen, dat ze een bewegingsfobie krijgen. Zij bouwen het aantal activiteiten steeds verder af en kunnen daardoor erg geïsoleerd raken van hun sociale omgeving. Te grote bezorgdheid van partners, familieleden of andere naasten kan dit proces nog versterken. Dit moet te allen tijde voorkomen worden, want sociale contacten en lichamelijke inspanning in een juiste 'dosering' stimuleren het herstel van de whiplash-patiënt.

Psychische ondersteuning

Het verwerken van een auto-ongeluk en de gevolgen die de patiënt daarvan ondervindt, geeft vaak aanleiding tot stress en spanningen. Het verplicht thuiszitten, pijn hebben en minder presteren is voor velen moeilijk te accepteren. Vooral als hun klachten door de werkgever, de behandelend arts of verzekeringsmaatschappij ook nog eens onvoldoende serieus worden genomen. Ongeveer één op de drie whiplash-patiënten krijgt na verloop van tijd last van allerlei depressieve verschijnselen. Ze zien het vaak niet meer zitten, ze piekeren te veel, ze slapen slecht, ze voelen zich slap en hebben nergens zin in. Wanneer deze klachten langere tijd aanhouden, is het raadzaam ze serieus te nemen en te behandelen met antidepressiva of (gespreks)therapie.
Bij whiplash-patiënten die al psychische problemen hadden voordat ze het ongeluk kregen, kan het voorkomen dat hun problemen door het whiplash-trauma versterkt worden. Deze patiënten worden, na de medische behandeling, vaak verwezen naar de psychiater.

Combinaties van behandeltechnieken
Chronische whiplash-patiënten die na ongeveer een jaar nog steeds ernstige klachten hebben, kunnen door de huisarts of specialist worden verwezen naar een revalidatiekliniek. Daar combineert men verschillende behandelmethoden tot een revalidatieprogramma van een aantal maanden. M.J. Kimman, revalidatie-arts van revalidatiekliniek Hoogstraat in Utrecht, signaleert een sterke stijging van het aantal whiplash-patiënten dat zich aanmeldt voor een revalidatietraject.

> We zijn ongeveer een jaar of acht geleden begonnen met het behandelen van whiplash-patiënten en sinds die tijd verdubbelt het aantal patiënten dat zich in onze kliniek aanmeldt ongeveer elk jaar.
> We zien patiënten met het post-whiplash-syndroom, ook wel het late whiplash-syndroom genoemd. Dat is de groep die circa negen maanden na het ongeval nog steeds klachten heeft. De symptomen uit de acute fase zijn blijven bestaan en bij elke vorm van inspanning verergeren de klachten, waarvan hoofdpijn, nekpijn en problemen op cognitief gebied de belangrijkste zijn. Door deze en andere klachten hebben de patiënten beperkingen gekregen op bijna alle levensterreinen: werk, maatschappelijk verkeer, gezin en vrije tijd. Op grond van dit geheel aan klachten en beperkingen komen patiënten in aanmerking voor behandeling in een revalidatiecentrum.
> Onder deze groep patiënten bevindt zich een aantal mensen dat in de periode voor het ongeluk goed functioneerde en een actief leven leidde. Daarnaast zijn er mensen die al voor het ongeval matig functioneerde. Een derde groep ziet de overeenkomst in hun klachten van psychische aard en de klachten van het whiplash-syndroom. Deze patiënten zeggen dat ze een whiplash-letsel gehad hebben, wat echter niet als zodanig aangemerkt kan worden. Met andere woorden, niet iedereen die betrokken is bij een auto-ongeval, die van zijn fiets valt of die tegen een deur aanloopt, krijgt een whiplash-letsel. Dit maakt het behandelen van het post-whiplash-syndroom soms moeilijk. Door een goede anamnese èn door een standaardbehandeling in de eerste weken van de revalidatie proberen we meer inzicht te krijgen in de hele problematiek. Het kan voorkomen dat na deze eerste behandelingsfase patiënten verwezen worden voor behandeling elders, bijvoorbeeld naar een pijnpolikliniek of naar de psychiatrie.

In die eerste weken wordt de patiënt getest door een team van behandelaars, dat bestaat uit de coördinerend revalidatie-arts, een fysiotherapeut, een ergotherapeut, een maatschappelijk werker en een psycholoog. Als we weten hoe het met de patiënt gesteld is, moeten we die kennis proberen over te brengen. Voor de whiplash-patiënt is zo'n intake-behandeling vermoeiend en heel confronterend. De meesten ontdekken dan pas dat ze zich bijvoorbeeld nog geen half uur kunnen concentreren en beseffen vervolgens dat terugkeren naar hun oude werkplek heel moeilijk zal worden.
De meeste patiënten met een post-whiplash-syndroom blijven hun hele leven beperkingen ondervinden van die ene klap. Wat we wel kunnen met dit revalidatieprogramma, is iemand de mogelijkheden aanreiken om een leven te leiden dat zo dicht mogelijk zijn oude levensstijl benadert, zonder dat hij last heeft van pijn of duizelingen.
De klachten die men heeft na een whiplash-trauma lijken op een soort overprikkelingssyndroom; bij alles wat je doet krijg je klachten. Je wordt moe, je slaapt slecht, je wordt snel duizelig, je kunt je nauwelijks concentreren, je hebt pijn enzovoort. Zo zijn er tientallen verschillende klachten die voortkomen uit overprikkeling. De patiënt kan deze vermijden door heel rustig en gestructureerd te leven. Vandaar dat we ons therapieschema daaraan hebben aangepast. Nooit meer dan twee therapieën op één dag waarbij erop gelet wordt dat er nooit achter elkaar dezelfde functies belast worden en dat er altijd een fikse pauze tussen de therapieën zit. Rust, regelmaat en structuur zijn belangrijke kenmerken van ons programma. Het hele ravalidatietraject neemt ongeveer zestien weken in beslag. De patiënten hoeven niet te worden opgenomen, ze komen drie maal per week naar de kliniek voor therapie.

In een revalidatiekliniek wordt de whiplash-patiënten een nieuwe manier van leven geleerd. Ze moeten vooraf hun activiteiten plannen. Wil men 's avonds naar een toneelstuk, dan moet men overdag rusten. De patiënt moet leren waar zijn grenzen liggen door steeds terug te blikken op de afgelopen dagen en te analyseren welke bezigheden klachten veroorzaken. Er moet een structuur ontstaan van activiteit afgewisseld met rust. Dat betekent in de praktijk dat de patiënt elke dag prioriteiten moet stellen, hij heeft niet genoeg energie om alles te doen wat hij voorheen deed.

Sommigen accepteren niet dat ze beperkingen hebben en blijven maar doorracen. Ze denken dat als ze maar doorzetten het vanzelf wel overgaat. Maar dat is natuurlijk niet zo. Bij die twintig procent van de patiënten die een post-whiplash-syndroom hebben, gaat het meestal niet over. Je kunt er alleen mee leren leven. Inzicht in de eigen situatie en de capaciteit om daar iets aan te veranderen, zijn belangrijke voorwaarden om onze behandelmethode effect te laten sorteren. Bij ongeveer de helft van de patiënten bereiken we dat ze weer een redelijk normaal leven kunnen leiden, zonder pijn of met acceptabele pijnklachten. Ze zullen zich er echter altijd van bewust moeten blijven dat ze whiplash-patiënt zijn en niet alles meer kunnen. Het verraderlijke van een whiplash-trauma is dat de patiënt soms heel goede dagen heeft. Dan lijkt het alsof er niets met hem aan de hand is en dan gaat hij natuurlijk met frisse energie allerlei dingen doen. Lekker stappen of dertig kilometer fietsen. En dat gaat natuurlijk fout. De patiënt betaalt de dagen erna de tol met pijn en vermoeidheid. In onze kliniek kijken we wat mensen nog wel kunnen en proberen dat uit te breiden.
De fysiotherapeut zorgt ervoor dat de nek gestabiliseerd wordt, dat de lichamelijke klachten zoveel mogelijk verdwijnen en dat de patiënt geen bewegingsbeperkingen meer vertoont. De ergotherapeut richt zich op de individuele bezigheden die de patiënt had voor het ongeluk en probeert of hij de patiënt weer zoveel mogelijk daarvan kan laten doen. Als dat niet mogelijk is, wordt er gezocht naar nieuwe activiteiten. Er wordt ook goed gekeken naar de houding die de patiënt aanneemt tijdens de activiteiten. Wanneer iemand bijvoorbeeld kleine kinderen heeft, dan leert hij hoe hij ze op moet tillen zonder al te veel last te krijgen. Iemand die veel achter een beeldscherm zit krijgt een betere zithouding aangeleerd om de nek zo min mogelijk te belasten.
De psycholoog bekijkt welke klachten iemand heeft op cognitief en psychisch gebied en probeert die te verhelpen. Lichte psychische problemen zijn te verhelpen met gesprekstherapie of antidepressiva. Mensen met ernstige klachten worden verwezen naar de psychiatrie. De cognitieve problemen worden eerst getest en vervolgens kan men de patiënt gaan trainen. Bij de cognitieve therapie leert de patiënt met zijn beperkte concentratie om te gaan en krijgt hij adviezen om zijn verminderde geheugenfunctie zo goed mogelijk te gebruiken.
De maatschappelijk werker onderzoekt de sociale situatie van de patiënt en helpt hem en zijn naasten om zich aan te passen aan de

nieuwe situatie. Dit kan bijvoorbeeld door het gezin te betrekken bij de behandeling of door voorlichting te geven over thuiszorg en andere hulpverlening. Als terugplaatsing op de werkvloer nog mogelijk is, dan wordt daarover vanuit de kliniek met de werkgever overlegd. Daarnaast is er een activiteitenbegeleidingsteam dat samen met de patiënt zoekt naar nieuwe hobby's en andere activiteiten. Door de sportafdeling wordt hij gestimuleerd om onder begeleiding te gaan sporten.
Dat is dus nogal wat voor de whiplash-patiënt die vaak een jaar lang vrij weinig gedaan heeft. Hij krijgt hier nieuwe leefregels. Als hij zich daaraan houdt, levert dat ook wat op: minder pijn en meer energie. En daardoor kan hij verder leven op een heel acceptabel niveau. Op voorwaarde dat de patiënt ook echt zijn leven wijzigt en niet na drie maanden zegt: 'Het is over! Ze zeggen wel dat het niet overgaat, maar ik voel niets meer.' En dan terugglijdt in het oude patroon, waardoor de klachten onvermijdelijk terugkomen. Leven met een chronisch whiplash-syndroom betekent elke dag plannen, elke dag keuzes maken. Dat vereist inzicht, assertiviteit en discipline. Wie zich daar niet toe zet, zal altijd klachten blijven houden.

De invloed van de patiënt op het ziekteverloop

Het ziekteverloop na een whiplash-trauma is voor een groot deel afhankelijk van de persoonlijkheidsstructuur van de patiënt. Als de patiënt zich niet laat ontmoedigen door de (tijdelijke) beperkingen die het whiplash-trauma met zich mee brengt en hij binnen de nieuwe grenzen van zijn kunnen op zoek gaat naar positieve ontwikkelingen, dan maakt hij grote kans sneller te herstellen. De whiplash-patiënt moet zijn aandoening eerst leren accepteren. Wie als een struisvogel alle problemen negeert en gewoon doordraaft in zijn oude levensstijl, krijgt na een tijdje de rekening gepresenteerd. Het kan zelfs voorkomen dat patiënten maandenlang op hetzelfde niveau blijven werken en leven als voor het ongeluk, maar na een jaar helemaal afknappen. Deze patiënten zijn er dan uiteindelijk erger aan toe dan diegenen die vanaf het begin hun activiteiten heel rustig weer hebben opgebouwd.
Assertiviteit speelt in dit proces ook een grote rol. Whiplash-patiënten zullen vaak 'nee' moeten verkopen tegen buitenstaanders. Ze kunnen nog niet gaan werken, ze kunnen niet naar dat verjaardags-

feestje, ze kunnen niet meer stoeien met de kinderen, ze kunnen geen lange einden meer autorijden, ze kunnen niet meer de boodschappen voor hun zieke moeder doen enzovoort.
Omdat veel whiplash-patiënten het moeilijk vinden om hun partner, kinderen of andere naasten teleur te stellen, hebben ze vaak de neiging om toch maar toe te geven en allerlei dingen te doen waar ze eigenlijk nog helemaal niet aan toe zijn. Whiplash-patiënten moeten dus leren voor zichzelf op te komen en alleen datgene te doen waar ze op dat moment toe in staat zijn, zonder dat ze er later last van krijgen. Dat is ook in het belang van de omgeving, want die is gebaat bij het zo goed mogelijk functioneren van de patiënt.

Sport
Behalve een positieve instelling, is ook het versterken van het lichaam bevorderlijk voor het herstel. Door rust af te wisselen met matige inspanning kan de conditie van de patiënt verbeterd worden. Een aantal sporten zoals tennis, squash, roeien en vecht- en contactsporten is af te raden omdat ze te belastend zijn voor de nek. Teamsporten zijn ongeschikt voor whiplash-patiënten omdat ze in een team niet meteen kunnen stoppen als ze klachten krijgen. Aangepaste vormen van zwemmen, aquajoggen, fitnessen, wandelen en fietsen zijn prima individuele sporten om heel rustig de conditie weer mee op te bouwen. Zo geeft bij het zwemmen de rugslag minder problemen dan de borstslag, en is bij het fietsen de zithouding heel belangrijk. Een opoefiets waarop men meer rechtop zit, is beter dan een racefiets en het monteren van een verende zadelpen kan nekklachten door hobbels voorkomen. Bij fitness is het aan te raden om aan de fysiotherapeut, sportarts of -begeleider te vragen welke oefeningen of oefenschema's geschikt zijn voor whiplash-patiënten.

Zwangerschap

Een groot deel van de whiplash-patiënten bestaat uit jonge vrouwen, waarvan velen een kinderwens koesteren. Helaas is er nog weinig bekend over de invloed van een whiplash-trauma op een zwangerschap. Een aantal artsen raadt het zwanger worden af zolang er nog geen eindstadium in het ziekteverloop is vastgesteld. Het lichaam heeft energie nodig om te herstellen. Een zwangerschap eist echter veel van een lichaam en zou daarom een nadelige

invloed kunnen hebben op het ziekteverloop.
Wanneer eenmaal het eindstadium is bereikt, kan de patiënt samen met de huisarts of revalidatie-arts de balans opmaken: welke activiteiten kan de patiënt wel uitvoeren en welke activiteiten zullen door de blijvende beperkingen niet meer mogelijk zijn. Aan de hand daarvan kan samen met de ergotherapeut bekeken worden hoe men zijn activiteiten in de tijd kan verdelen zonder dat deze al te veel vermoeidheid of pijn tot gevolg hebben. Hierover nog een keer revalidatie-arts Kimman.

Voor chronische whiplash-patiënten zal een zwangerschap en het verzorgen van de baby extra zwaar zijn, maar het is niet onmogelijk. Op de eerste plaats moeten alle betrokkenen, huisarts, revalidatie-arts, gynaecoloog en verloskundige, geïnformeerd worden over het whiplash-trauma van de zwangere vrouw. Samen kan er dan een oplossing gezocht worden om de zwangerschap zonder al te veel problemen te laten verlopen. Dat betekent dus dat de whiplash-patiënt, zeker in de laatste maanden, veel meer dan gezonde vrouwen, zal moeten rusten.
Daarnaast kan er door het begeleidende team overlegd worden wat de beste houding is om te bevallen. Het persen is namelijk een zware belasting voor de nek en er moet worden voorkomen dat de patiënt door die inspanning 'terugvalt' en weer moet gaan revalideren. De meest gebruikte houding bij de bevalling, op de rug liggend, is voor whiplash-patiënten eigenlijk ongeschikt omdat de nek- en schouderspieren daarbij te zwaar worden belast. De zwangere vrouw kan samen met de gynaecoloog een minder belastende methode uitzoeken die het best aansluit bij haar persoonlijke wensen.
Bedenk wel dat het verzorgen van een kind voor whiplash-patiënten geen geringe opgave is. Bespreek dit van tevoren met je partner, want die zal een groot deel van de verzorgende taken moeten overnemen. Zo is het in en uit bad tillen van een peuter voor veel patiënten een moeilijke opgave en ook het gemis aan nachtrust kan nadelig zijn voor de conditie van de patiënt. Voor zwangere vrouwen en vrouwen met kleine kinderen geldt dat ze het best allemaal aankunnen als ze zich maar strikt aan de leefregels houden. Niet zwaar tillen, niet te veel drukte, proberen zoveel mogelijk te slapen en alle activiteit afwisselen met rust.

6 *De psychische gevolgen*

Vroeger kon ik de hele wereld aan. Nu heb ik al moeite met de dagelijkse beslommeringen van het huishouden. Ik leg mijn autosleutels in de vriezer, hang mijn boodschappen aan de kapstok en vergeet de naam van mijn beste vriendin. Mijn kinderen krijgen al heel snel een snauw en ik zit te janken bij het journaal. Daarnaast ben ik ontzettend moe en heb constant hoofdpijn. Ik ken mezelf niet terug.

Uit dit korte relaas van Marianne, een 46-jarige boekhoudster, blijkt dat voor een intelligent, sociaal en actief mens de consequenties van een whiplash vaak moeilijk te aanvaarden zijn. Bij patiënten met een traumatisch hersenletsel, waaronder ook patiënten met een chronisch whiplash-syndroom gerekend mogen worden, kunnen allerlei soorten emotionele en psychische stoornissen optreden.

Emotionele en psychische stoornissen

Hoe ernstig de emotionele stoornissen als gevolg van een whiplash-trauma zijn, hangt natuurlijk nauw samen met de lichamelijke beperkingen, de pijn, de stoornissen op cognitief gebied en de persoonlijkheid van de patiënt. Het feit dat zijn lichaam opeens niet meer optimaal functioneert, kan de whiplash-patiënt behoorlijk frustreren. Zowel in zijn dagelijkse werkzaamheden als in het beoefenen van zijn hobby's wordt hij beperkt. Ook het sociale leven lijdt eronder, een drukke verjaardag of receptie is uit den boze. Daardoor is het mogelijk dat de patiënt vindt dat hij niet meer volledig deel kan nemen aan het maatschappelijk leven, zijn gevoel voor eigenwaarde verliest en misschien zelfs vereenzaamt. Feit is, dat een whiplash-patiënt voor korte of langere tijd niet meer dezelfde persoon is als hij daarvoor was.
Vaak hebben patiënten weinig interesse in de wereld om hen heen,

slapen ze onrustig en ondergaan ze extreme stemmingswisselingen. En dit is nog maar een kleine greep uit een hele lijst van de veranderingen op emotioneel gebied waar een whiplash-patiënt last van kan hebben.
Vaak zijn de veranderingen zo hevig dat de omgeving moeite heeft om met zo'n metamorfose om te gaan. De wetenschap dat het merendeel van de patiënten na een tijd weer opknapt en hun oorspronkelijke persoonlijkheid terugkrijgt, kan zo'n periode wat draaglijker maken. Veel patiënten zijn zich pijnlijk bewust van hun persoonsverandering. Een voorbeeld daarvan is het verhaal van de 28-jarige prmedewerkster Anouschka Metz.

Woedend was ik. Lezen, schrijven, fietsen en zelfs tv-kijken, alle dingen die ik vroeger deed zonder erbij na te denken, kostten me veel moeite. Ik was al uitgeput als ik een halve pagina van de krant had gelezen. Bij het afwassen liet ik van alles uit mijn handen kletteren en na tien minuten lopen moest ik een kwartier uitrusten. Ik leek wel een hoogbejaarde oma. Mijn werk kon ik niet meer doen, daar was ik veel te moe voor. De kroeg, de sportkantine en zelfs het winkelcentrum werden plekken waar ik niet meer kon komen. Het was er te druk en te lawaaiig. Ik dacht dat ik gek werd. De muren kwamen op me af. Mijn vrienden en familie waren ontzettend lief en behulpzaam, maar ik vond het steeds moeilijker om hun hulp in te moeten roepen. Ik, die altijd zo vrolijk en actief was, zat als een lamgeslagen vogeltje op de bank. Altijd maar moe. En voortdurend die hoofdpijn... Huisarts, fysiotherapeut en neuroloog, niemand wist hoe lang de symptomen van mijn whiplash-syndroom zouden aanhouden. Mijn vriend, die heel begrijpend was, het huishouden deed en mij verder in alles bijstond, heeft het zwaar te verduren gehad. De hele dag zat ik gefrustreerd thuis en bij de minste inspanning werd ik door mijn lichaam teruggefloten. Mijn gedachten draaiden alleen nog maar om mijn eigen ziek-zijn. Hoe oneerlijk het allemaal was. Ik wilde mijn leven van vroeger terug: werken, veel meemaken en gezond zijn. Dus als mijn vriend thuiskwam van zijn interessante werk, waar hij de hele dag allerlei mensen ontmoette en plezier maakte met zijn collega's, kreeg hij van mij de volle laag. Alle frustraties die ik de hele dag had opgespaard gooide ik er dan uit. En daarna was het natuurlijk weer huilen.
De fysiotherapeut kwam met het goede advies om te gaan sporten. Niet squashen, maar twee keer per week fitnessen onder professionele begeleiding. En dat was mijn redding. Ik kwam weer

onder de mensen en had een doel. Na een paar maanden kwam er duidelijk verbetering in mijn situatie. Ik ging halve dagen werken en mijn humeur klaarde direct op. Het is nu drie jaar later en ik werk weer hele dagen, maar doe het wel wat rustiger aan. Die hele periode herinner ik me als een groot zwart gat. Een tijd waarin ik stilstond. Als ik toen had geweten dat er een einde aan zou komen, dat ik weer zou kunnen werken en sporten, had ik me een stuk minder ellendig gevoeld. Het is vooral de onzekerheid over de duur van de ziekte die je de das om doet.

Voordat iemand last krijgt van het whiplash-syndroom, is hij – in de regel – een geestelijk gezond mens. Door de traumatische ervaring van een ongeluk met de daarbij behorende kwetsuren, kan hij dus opeens allerlei psychische stoornissen gaan vertonen. Geheugenverlies, slaapstoornissen, verminderd concentratievermogen, depressies en een laag libido zijn daarvan de meest voorkomende. De ernst van de whiplash en de manier waarop de aandoening vanaf het begin behandeld is, bepalen voor een groot deel in welke mate de emotionele stoornissen optreden. De omgeving van de patiënt speelt eveneens een grote rol. Wordt de aandoening serieus genomen en weet de patiënt zich met zorg en begrip omringd, dan zijn de gevolgen van een whiplash al een stuk beter te accepteren en zal hij sneller genezen.
De psychische klachten zijn in de meeste gevallen tijdelijk van aard. Zodra de lichamelijke klachten verminderen, nemen ook de psychische klachten af. Gemiddeld duurt dit anderhalf tot twee jaar vanaf de datum dat de whiplash veroorzaakt werd.
Wanneer een patiënt met psychische klachten bij een arts komt en het is niet meteen duidelijk dat hij een nekletsel heeft, dan kan het voorkomen dat hij jarenlang psychiatrisch behandeld wordt zonder dat dit strikt noodzakelijk is. Gelukkig gebeurt dit maar heel zelden. Maar het is daarom voor patiënten wel van belang dat ze altijd hun behandelend artsen of therapeuten inlichten over hun whiplash-trauma.

De oorzaak van emotionele en psychische stoornissen

Lichaam en geest zijn niet los te koppelen. De emotionele stoornissen en psychische klachten van een whiplash-patiënt kunnen zowel een lichamelijke als een psychische oorzaak hebben.

Stremming van de toevoer van zuurstof
Door de enorme klap die de nek bij het ongeluk heeft gehad, is het mogelijk dat het ruggemerg beschadigd is. Daardoor kan er een stremming optreden in de slagaders die door het ruggemerg lopen. Deze slagaders zijn belangrijk voor de bloedtoevoer naar de hersenen. Ze zorgen ervoor dat er zuurstof en voedingsstoffen naar allerlei actieve centra in de hersenen worden gebracht. Wanneer er niet meer voldoende verse aanvoer is vanuit de slagaders, worden de functies van deze hersendelen verstoord. Het betreft dan onder andere het slaapcentrum, het zogenoemde limbisch systeem, dat onze emoties regelt en de kwaliteit van het korte-termijngeheugen bepaalt, en het deel van de hersenen dat onze zintuigen bestuurt. De patiënt gaat daardoor bijvoorbeeld slecht zien, overmatig zweten en wordt vergeetachtig. Hij slaapt slecht en heeft last van nachtmerries. Er is dus een aantoonbaar lichamelijke reden waarom er zulke veranderingen in de persoonlijkheid van de whiplash-patiënt kunnen optreden.

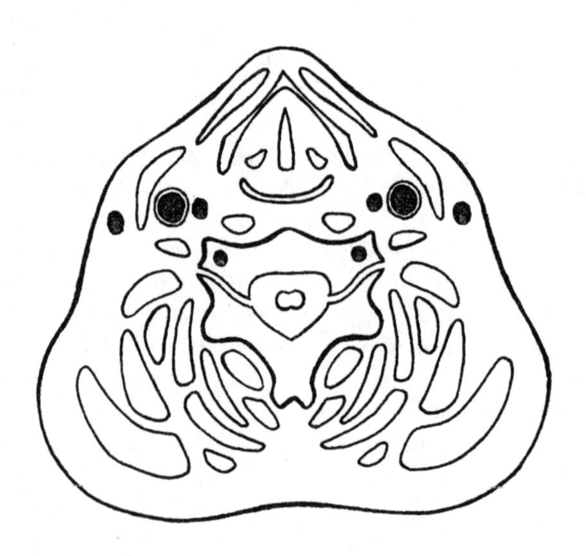

Doorsnede van de nek met in zwart de bloedvaten waarin stremmingen kunnen optreden als gevolg van een whiplash-trauma

Verwerking van het ongeluk
Daarnaast is het zo dat een whiplash-patiënt in de meeste gevallen een verkeersslachtoffer is en hij moet dus ook het trauma van het (auto)ongeluk verwerken. Het feit dat in één klap het leven ten negatieve is veranderd, is voor veel patiënten een onverteerbare zaak. Het slachtoffer voelt zich in eerste instantie kwaad en machteloos. Wanneer de aandoening enige tijd aanhoudt, is hij vaak gedwongen zijn leven drastisch aan te passen. De patiënt kan niet meer doen dan de situatie, waar hij meestal geheel buiten zijn schuld in terecht is gekomen, te accepteren. Veel patiënten verliezen dan hun positieve instelling en raken in een depressie.

Verlies van eigenwaarde
Een chronische whiplash-patiënt zal waarschijnlijk de rest van zijn leven niet meer voldoende energie hebben om alle dagelijkse bezigheden die bij het leven van voor het ongeluk hoorden, naar behoren uit te voeren. De hoopvolle houding die veel patiënten in eerste instantie aannemen – 'binnen een paar weekjes ben ik weer de oude' – moet dan worden bijgesteld. Alles wat de patiënt voorheen moeiteloos kon, kost nu inspanning of kan helemaal niet meer. Hij moet veel rusten. Dit passieve gedrag wordt hem door zijn omgeving niet altijd in dank afgenomen. Door steeds vaker te moeten afhaken in sociale situaties, komt hij in een geïsoleerde positie. Hij beseft bovendien dat hij in zijn dagelijks leven afhankelijk zal zijn van anderen. Dat vreet aan zijn gevoel voor eigenwaarde.

Psychische klachten en emotionele stoornissen komen zowel bij mannelijke als vrouwelijke whiplash-patiënten voor. Het soort klachten en de hevigheid ervan worden eerder bepaald door de persoonlijkheidsstructuur van de patiënt dan door het sekseverschil.

De meest voorkomende psychische klachten

Iedereen heeft wel eens van die momenten waarop alles tegenzit. De wereld lijkt dan één grauwe massa. Bovendien zijn er periodes dat men wat slechter slaapt en ongeconcentreerd is. Een whiplash-patiënt heeft deze klachten echter vaker, langer en heviger. Bij een whiplash kunnen de volgende psychische symptomen onderscheiden worden.

Depressieve gevoelens
Van alle klachten op psychisch gebied komen depressieve gevoelens het meest voor; bij meer dan 70% van de whiplash-patiënten. Er is echter een groot verschil tussen de depressieve gevoelens van een whiplash-patiënt en die van iemand met een chronische depressie. Eerstgenoemde wil heel graag weer de gewone, dagelijkse bezigheden oppakken, maar is daartoe niet in staat. De whiplash-patiënt is daarover meestal zeer gefrustreerd.
De chronisch depressieve patiënt daarentegen is apathisch, toont weinig gevoelens en wil uit zichzelf geen actie ondernemen. Bovendien ontstaat zijn depressie gedurende een langere periode, vaak enige jaren. De psychische symptomen die samenhangen met een whiplash zijn na relatief korte tijd al waarneembaar.

Slaapstoornissen
Het merendeel van de patiënten heeft last van slaapstoornissen, zoals moeilijkheden bij het in- en doorslapen, door hoofdpijn vaak vroeg wakker worden en zeer onrustig slapen. Veel patiënten hebben ook nachtmerries.

Angsten
Whiplash-patiënten zijn vaak nerveus, angstig of gespannen. Wanneer ze angstig zijn, klagen ze over een benauwd gevoel of gaan hyperventileren. De angsten variëren in ernst. Net als alle patiënten die het slachtoffer zijn geworden van een verkeersongeval, is ook de whiplash-patiënt vaak huiverig om zich weer in het verkeer te begeven. Maar het komt ook voor dat hij een extreme vrees voor iets ontwikkelt, bijvoorbeeld pleinvrees of engtevrees.

Verlies van interesse
Veel whiplash-patiënten zijn overdag apathisch, uitgeput en hebben geen interesse meer in de buitenwereld. Vaak zien whiplash-patiënten ook overal tegenop, ze hebben nergens zin in en zijn niet vooruit te branden. De patiënt is meestal emotioneel vrij vlak en klaagt over een 'zwaar gevoel' in lichaam en ziel.
Ook komt het regelmatig voor dat bij de patiënt de seksuele gevoelens en verlangens op een laag pitje staan.

Overgevoeligheid
Overgevoelig worden voor commentaar van de buitenwereld is ook een stoornis die regelmatig optreedt. De patiënt wordt prikkel-

baarder en emotioneler. Hij gaat bij wijze van spreken al huilen als iemand een wasmachine wint in een tv-programma of wordt buitensporig kwaad om kleine ergernissen. Vooral voor whiplash-patiënten met kleine kinderen is deze overgevoeligheid problematisch.

Persoonlijkheidsverandering
Het karakter van een whiplash-patiënt kan veranderen. Deze persoonlijkheidsverandering kan in allerlei vormen optreden. Het komt erop neer dat de patiënt zich heel anders gedraagt dan de buitenwereld van hem gewend is en daardoor kunnen relaties onder druk komen te staan.

Gebrek aan concentratievermogen
De patiënt haakt af bij lange en drukke gesprekken, vergeet waar hij zijn sleutels heeft neergelegd, hoe zijn baas heet en wat hij ook alweer in de badkamer ging doen. Hij kan zich maar korte tijd op een onderwerp tegelijk concentreren. Ook lange autoritten zijn door dit concentratieverlies erg vermoeiend.

Isoleren
Veel patiënten trekken zich terug uit het sociale leven. Daardoor kunnen ze vervreemden van familie, vrienden of zelfs van hun eigen gezin. Dit heeft zowel te maken met de extreme vermoeidheid als ook met het verlies van interesse voor de buitenwereld. Ook door een vermindering in het gevoel van eigenwaarde kan de patiënt in een isolement raken. Hij denkt dan bijvoorbeeld dat hij als zieke geen aangenaam gezelschap meer is en trekt zich terug.

Minderwaardigheidsgevoel
Het komt regelmatig voor dat whiplash-patiënten een groot minderwaardigheidsgevoel ontwikkelen. Doordat de patiënt een aantal functies niet meer uit kan voeren, denkt hij dat hij niet meer serieus wordt genomen door de buitenwereld. Sommige mensen zijn voor hun gevoel van eigenwaarde en voor hun sociale contacten afhankelijk van hun werk. Bij deze mensen zal een langdurige periode van arbeidsongeschiktheid hard aankomen.

Faalangst
Sommige patiënten zijn zo in de war doordat hun lijf en hersenen opeens niet meer doen wat zij willen, dat ze bijna geen opdracht

meer durven uit te voeren. Zij ontwikkelen faalangst en hebben de neiging om dan maar helemaal niets meer te doen. Vaak vervallen patiënten dan in apathie, waardoor ze geestelijk achteruit kunnen gaan. Dit moet door de omgeving worden tegengegaan, omdat het juist voor het herstel van de patiënt van belang is met lichte, eenvoudige taken de hersenen te activeren.

Onbeheerst gedrag vertonen
Soms valt bij patiënten de 'rem' weg, ze hebben zichzelf niet in de hand. Dan vergeten ze hun opvoeding en gedragen zich zeer onbeheerst. Sommigen maken scènes in het openbaar, anderen vertonen bijvoorbeeld een ongebreidelde trek in eten.
Een enkele whiplash-patiënt kan neigen naar agressiviteit. Het kan zijn dat iemand, door de storingen die in de hersenen optreden, zijn beheersing verliest en zijn frustraties uit door heel agressief te worden, gelukkig komt dit maar heel zelden voor.

Hallucineren
Het gebeurt wel eens dat whiplash-patiënten de dingen anders zien dan ze zijn. Deze waanbeelden komen meestal alleen bij hele ernstige gevallen voor en zijn meestal tijdelijk van aard.

Neiging tot zelfdoding
Wanneer iemand veel pijn heeft en ook een flink aantal psychische stoornissen vertoont, is het niet ondenkbaar dat hij aan suïcide denkt. Een whiplash-trauma is vrijwel nooit een directe aanleiding tot zelfdoding. In de zeldzame gevallen dat een whiplash-patiënt zijn leven beëindigt, is er meestal al sprake van een psychisch probleem en is de aandoening slechts een katalysator.

Professionele hulp

Wanneer de psychische klachten zoals hiervoor beschreven, veelvuldig voorkomen en ook langere tijd aanhouden, is het verstandig een psychiater in te schakelen. Vaak geeft het praten met iemand die beroepshalve bekend is met de symptomen en daarom veel begrip toont voor de klachten, al een gevoel van opluchting. Een psychiater kan bovendien beoordelen of er sprake is van een chronische psychische aandoening of dat de symptomen tijdelijk van aard zijn. En als je als patiënt van een specialist verneemt dat je

klachten langzaam zullen afnemen en uiteindelijk over zullen gaan, is dat al een hele opkikker.
De psychiater kan met medicijnen of met adviezen voor de levensstijl van de patiënt een aantal van de klachten verlichten. Bij sommige patiënten is er echter meer aan de hand, zoals blijkt uit het verhaal van dokter Querido, psychiater en gespecialiseerd in de behandeling van whiplash-patiënten.

Ik heb gedurende een aantal jaren veel whiplash-patiënten onder behandeling gehad. De meesten zijn psychisch gezonde mensen, die een heel normale reactie vertonen op een ingrijpende gebeurtenis. Hun leven schudde even op zijn grondvesten en nu moeten ze puin ruimen. Whiplash-patiënten gaan op zoek naar een nieuw evenwicht en dat kost veel energie en tijd.
Er zijn echter ook mensen die rondlopen met een onverwerkt trauma. Als zij een whiplash krijgen, hebben ze niet de innerlijke kracht om dit weggestopte verleden in toom te houden. De emoties laaien zo hoog op dat het een vulkaanuitbarsting lijkt. Voor deze mensen is psychiatrische behandeling noodzakelijk. Dat is het moment waarop intensieve, gespecialiseerde hulp nodig is.
Het merendeel van de whiplash-patiënten kan echter geholpen worden met een reeks therapeutische gesprekken. Vaak vraag ik de partner om erbij te komen zitten. Een whiplash werkt namelijk door op het hele gezin. Dan spreken we de situatie door, analyseren waar de gevoelens van onvrede vandaan komen en bepalen hoe het anders zou kunnen. Begrip en serieuze aandacht voor de patiënt zijn in deze gesprekken heel belangrijk. Niet zelden hebben patiënten eigenlijk al genoeg aan een luisterend oor. Vandaar dat ik het contact met lotgenoten zoveel mogelijk stimuleer. In mijn wachtkamer zijn de meest heilzame gesprekken gevoerd tussen de whiplash-patiënten onderling.
Ik schrijf ook wel eens medicijnen voor. Mensen met veel hoofdpijn geef ik bijvoorbeeld het middel Sibelium. Dit zorgt voor een verbeterde zuurstofopname in de hersenen, zodat de patiënt minder vaak duizelig is en minder last heeft van hoofdpijn. Uit onderzoek is gebleken dat whiplash-patiënten ook extra veel vitamine C verbruiken. Door dit aan te vullen stijgt de energie van de patiënt. Daarnaast geef ik praktische adviezen over de leefwijze van de patiënten. Neem bijvoorbeeld een waterbed, dat is veel beter voor de gekwetste nekwervels. Doe slaap- en ontspanningsoefeningen. Forceer jezelf niet. Ontdek je grenzen en overschrijd ze niet. Ver-

mijd spanning. Neem rust, rust en nog eens rust. En probeer de moed niet op te geven. Neem je aandoening serieus en vraag om hulp. Je hebt er recht op.

Er is jammer genoeg nog heel weinig onderzoek gedaan naar de psychische gevolgen van een whiplash. Gelukkig is het wel zo dat steeds meer psychiaters zich voor dit fenomeen gaan interesseren. Bij de Riaggs in de grote steden kunnen whiplash-patiënten goed terecht en ook via de patiëntenverenigingen zijn namen van in whiplash gespecialiseerde psychiaters op te vragen.

De huisarts

Bij de erkenning van de aandoening speelt de huisarts een grote rol. Als de patiënt zijn klachten gediagnosticeerd ziet als 'whiplash-trauma', kan het revalidatietraject ingeslagen worden. Is het echter zo dat de klachten ten onrechte worden afgedaan met 'aanstellerij', 'oververmoeidheid' of 'psychische problemen', dan wordt de patiënt waarschijnlijk langere tijd niet of juist verkeerd behandeld. Bovendien wordt de patiënt onzeker en gaat aan zijn eigen waarneming twijfelen. 'Beeld ik me de pijn dan in?', 'Komt die eeuwige vermoeidheid alleen van de dagelijkse stress?', 'Ben ik een aansteller?' Deze vragen dringen zich op, terwijl hij tegelijkertijd met zeer veel moeite probeert op hetzelfde niveau te blijven functioneren. Voor de arts en zelfs voor de neuroloog of andere specialist is een whiplash echter moeilijk te diagnosticeren. Ze moeten voornamelijk afgaan op de informatie van de patiënt. Gelukkig wordt de aandoening steeds bekender en kan de medische stand de symptomen ervan steeds eerder en beter onderkennen. Een juiste diagnose betekent veel voor de patiënt. Het geeft hem het zelfvertrouwen dat zijn klachten gegrond zijn en dat er iets aan gedaan kan worden.

Hulp van de omgeving

Voor een whiplash-patiënt zijn er twee zaken van groot belang: erkenning van de aandoening en begrip voor de gevolgen ervan.

De directe sociale omgeving

Wanneer de patiënt eenmaal te horen heeft gekregen dat hij een whiplash-trauma heeft, staat hem de volgende hindernis te wach-

ten: hij en de mensen in zijn naaste omgeving moeten met zijn beperkingen leren omgaan. Dat is gemakkelijker gezegd dan gedaan. Want niet alleen de patiënt zelf, maar ook de familieleden, vrienden, collega's en werkgevers worden geconfronteerd met een aandoening waarover nog te weinig bekend is. De voorheen zo gezellige en spontane collega wordt plotseling humeurig en apathisch, de sensuele echtgenote heeft opeens altijd hoofdpijn, de regelmoeder laat het huishouden versloffen en de winkelvriendin krijgt het klamme zweet in haar handen bij de gedachte aan een druk warenhuis.
Een van de moeilijkste aspecten van een whiplash is het accepteren van de beperkingen die deze aandoening tot gevolg heeft. Toch is dit heel belangrijk voor het genezingsproces. De patiënt zelf moet leren luisteren naar zijn lichaam. Hij moet op tijd rust nemen, spanningen uit de weg gaan en langzaam aan zijn conditie bouwen. Worden de grenzen van de energievoorraad overschreden dan volgt meteen de afstraffing. Hoofdpijn, duizeligheid en andere klachten treden dan weer op.
De naaste omgeving van de patiënt is als de teambegeleiding bij de Tour de France. Er zijn veel verschillende etappes af te leggen en de vermoeide fietser krijgt onderweg allerlei inzinkingen. Hij heeft daarom behoefte aan steun, goede verzorging en wat pep-talk op zijn tijd. Niet opgeven is de boodschap. Een van de meest duidelijke kenmerken van deze aandoening is het op- en neergaande karakter ervan. De ene week voelt de patiënt zich prima en maakt toekomstplannen, de volgende week ligt hij weer op bed. Probeer deze schommelingen te accepteren en bekijk het ziekteverloop per maand.

De whiplash-patiënt heeft twee extra handicaps: hij kan meestal niet zwaaien met een röntgenfoto of ander medisch bewijs van zijn aandoening én hij ziet er vaak heel gezond uit.
In de maatschappij wordt ziekte toch nog vaak gezien als een teken van zwakte. Wie ogenschijnlijk gezond is moet zich niet aanstellen en gewoon verder gaan. En dat is wat veel patiënten uit schuldgevoel ook doen. Daarmee lopen ze de kans hun ziekte met een aanzienlijke periode te verlengen. Want als het lichaam nog niet toe is aan reactivering kan het zijn dat ze 'terugvallen'. De klap is dan des te groter en de kans dat men het steeds somberder gaat inzien ook. Daarom is begrip en ondersteuning van de buitenwereld van groot belang voor het geestelijk evenwicht van de whiplash-patiënt.

Overbelasting
Een belangrijke taak van de verzorgers is er goed op letten dat de patiënt niet te veel hooi op zijn vork neemt. Door trots, schaamte of pure eigenzinnigheid wil de whiplash-patiënt zijn lichaam nog wel eens overbelasten. Het is de taak van de omstanders om dat zoveel mogelijk te voorkomen. Wanneer de patiënt wankelt, wit wordt om de ogen of andere vermoeidheidsverschijnselen vertoont, moet hij naar bed gestuurd worden. Zonder pardon. Het is aan de patiënt om dan in te zien dat deze maatregel noodzakelijk is. Door voldoende te rusten en de rustperiodes af te wisselen met een goed gedoseerde hoeveelheid activiteit, zal het merendeel van de patiënten uiteindelijk vooruitgang boeken. En niets is zo weldadig voor de ziel als een duidelijk stijgende lijn in het genezingsproces.

Het belang van plezier en creativiteit

Een whiplash-patiënt heeft veel afleiding nodig. Het is daarbij wel belangrijk dat de activiteiten niet te vermoeiend zijn. Alles waar de patiënt plezier aan beleeft, is een goede vorm van therapie. Vooral creatieve bezigheden zijn geschikt. Patiënten kunnen in het algemeen beter met hun handen dan met hun hoofd bezig zijn. Of het nu modelbouw is, bloemschikken, boetseren of borduren, als de patiënt maar zelf kan bepalen hoe lang hij ermee bezig blijft. Door met iets leuks bezig te zijn vergeet hij de pijn, hij is actief en hij presteert iets. De aandacht moet gericht blijven op wat de patiënt nog wel kan en hij moet proberen daar zoveel mogelijk van te genieten.
Ook gezelligheid en plezier kunnen hem helpen. Als iedereen om de patiënt heen probeert zo vriendelijk, opbeurend en vrolijk mogelijk te zijn, heeft dat meteen invloed op zijn humeur. Het is een bekend gegeven dat patiënten met een positieve instelling en een goed humeur sneller genezen.

7 Praktische zaken

De financiële kanten van een langdurige ziekte

Chronische whiplash-patiënten ondervinden in het dagelijks leven vaak zo veel hinder van hun ziekte, dat er allerlei, vaak kostbare, oplossingen moeten worden gevonden om de patiënt op een redelijk niveau te kunnen laten functioneren. Zo zal een patiënt die de huishoudelijke taken niet meer zelfstandig kan uitvoeren, een beroep moeten doen op thuiszorg. Wie door een whiplash-trauma geen auto meer kan rijden, zal zich per taxi naar arts en fysiotherapeut moeten verplaatsen. En als het sjouwen van zware boodschappen niet meer mogelijk is, zal er een bezorgdienst ingeschakeld moeten worden of een boodschappenwagentje gekocht moeten worden.
Door de extra kosten die gemaakt worden voor behandeling, vervoer, thuishulp en andere noodzakelijke voorzieningen, stijgen de uitgaven van de patiënt, terwijl hij zijn inkomsten in veel gevallen terug ziet lopen. Wie buiten de deur werkt, krijgt het eerste jaar zijn loon geheel of gedeeltelijk doorbetaald door de werkgever. Bij zelfstandige ondernemers wordt de arbeidsongeschiktheidsverzekering aangesproken, als die tenminste is afgesloten. Een werknemer met een dienstverband, die meer dan één jaar ziek is, komt in aanmerking voor een WAO-uitkering. Die is echter altijd lager dan het laatstgenoten loon.
Bovendien is het bij whiplash-patiënten zo dat het moeilijk te bepalen is voor hoeveel procent iemand arbeidsongeschikt is geworden. Een volledige WAO-uitkering wordt slechts zelden aan een whiplash-patiënt uitgekeerd (zie ook hoofdstuk 9). Hoewel in Nederland de sociale voorzieningen beter zijn dan in veel omringende landen, wordt ook hierop steeds meer bezuinigd. Daarom is het voor whiplash-patiënten die financiële problemen dreigen te krijgen, belangrijk om hun weg te vinden in de wirwar van uitkeringen en andere financiële tegemoetkomingen.

Per whiplash-patiënt moet worden bekeken hoe zijn financiële en medische situatie is en op welke regelingen hij een beroep kan doen. Bij het Gemeenschappelijk Administratiekantoor (GAK), de Gemeentelijke Medische Dienst of de Sociale Dienst in de eigen woonplaats kan worden nagevraagd voor welke uitkeringen en subsidies men als patiënt in aanmerking komt.
Als een langdurig zieke geen beroep kan doen op wettelijke regelingen, zoals de Wet Voorzieningen Gehandicapten, de Algemene Bijstandswet, de Ziekenfondswet of de Algemene Wet Bijzondere Ziektekosten, dan kan hij alsnog een aanvraag indienen bij AVO-Integratie Gehandicapten in Amersfoort. Naast financiële hulp biedt de AVO ook begeleiding bij het zoeken naar een baan, het opzetten van een eigen bedrijf en het vinden van een aangepast vakantie-adres.
De adressen van bovengenoemde instanties zijn achter in het boek te vinden.

Juridische hulp

Als de whiplash-patiënt buiten zijn schuld slachtoffer is van een verkeersongeval, dan is de kans groot dat hij een schadeclaim kan indienen. In het algemeen zijn er voor blijvende schade aan de gezondheid twee soorten verzekeringen van toepassing: de eigen verzekeringen en de verzekeringen van de tegenpartij als die tenminste schuldig was aan het ongeval.

De eigen verzekering
Onder de eigen verzekeringen vallen:
(1) de persoonlijke ongevallenverzekering (de z.g. PO-polis),
(2) de gezinsongevallenverzekering en
(3) jeugd- of scholierenongevallenverzekering.

Dit zijn allemaal vormen van een ongevallenverzekering die een uitkering geeft wanneer iemand door een ongeval overlijdt, geheel of gedeeltelijk invalide raakt, tijdelijk arbeidsongeschikt wordt of medische kosten maakt. Onder de term 'ongeval' wordt verstaan: 'Een plotseling van buiten komend, onafhankelijk van de wil van de verzekerde, op diens lichaam inwerkend geweld, dat rechtstreeks en zonder medewerking van andere oorzaken geneeskundig vast te stellen lichamelijk letsel tot gevolg heeft.'

Het slachtoffer zelf krijgt dus door zijn eigen verzekering een bedrag uitgekeerd voor het verlies van een orgaan of voor de blijvende gehele onbruikbaarheid van een orgaan of lichaamsdeel. Soms liggen de zaken eenvoudig; als een orgaan gedeeltelijk verloren is gegaan of slechts gedeeltelijk functioneert, wordt er een evenredig percentage van het schadebedrag uitgekeerd. Een voorbeeld: voor het verlies van één oog wordt een percentage van ongeveer zeventig procent van de verzekerde som uitgekeerd. Wie voor 100.000 gulden verzekerd is, ontvangt in dat geval 70.000 gulden.
Bij schade als gevolg van een whiplash-trauma zijn de zaken wat gecompliceerder. Ten eerste zijn de beschadigingen van een dergelijk trauma moeilijk 'geneeskundig vast te stellen'. Op de tweede plaats is er geen sprake van verlies van een lichaamsdeel of orgaan, maar van beperkingen in het functioneren ervan. De letselschade bij een whiplash-trauma wordt daarom uitgedrukt in het percentage blijvende invaliditeit gemeten over het hele lichaam.
De kosten die gemaakt worden voor medische behandeling worden meestal vergoed door het ziekenfonds of door de eigen particuliere ziektekostenverzekering. Wanneer een andere partij aansprakelijk is voor het ongeval dat het whiplash-trauma veroorzaakte, dan zal het ziekenfonds of de particuliere verzekeraar van het slachtoffer de medische kosten op de verzekeraar van de aansprakelijke partij verhalen.
Een andere verzekering die kan uitkeren in geval van een whiplash-trauma is de particuliere arbeidsongeschiktheidsverzekering. Deze verzekering geeft een uitkering als de verzekeringnemer door een ongeval of door ziekte arbeidsongeschikt is geworden. De omvang van de uitkering is afhankelijk van de mate waarin de whiplash-patiënt arbeidsongeschikt is geworden.

De verzekering van de andere partij

In de meeste whiplash-zaken is de wettelijke aansprakelijkheidsverzekering motorrijtuigen (WAM-verzekering) van toepassing. Het gros van de whiplash-trauma's wordt veroorzaakt door aanrijdingen van achteren en in de meeste gevallen dekt de WAM-verzekering van de schuldige, achteroprijdende partij, de schade. Als de whiplash-patiënt passagier was tijdens het ongeval, kan hij de bestuurder van de auto aansprakelijk stellen, althans de bestuurder die ook daadwerkelijk aansprakelijk gesteld wordt voor de aanrijding.
Veel mensen vinden het nog steeds overdreven om een schade-

claim in te dienen. Zeker wanneer ze alleen wat hoofdpijn, spierpijn of nekkramp overhouden aan een ongeval. Toch is het van belang om zo snel mogelijk juridische bijstand te zoeken wanneer er ook maar een klein vermoeden is dat de symptomen duiden op een whiplash-trauma. Hoe langer namelijk de periode tussen het ongeval en het indienen van de claim is, hoe moeilijker het zal worden om aan te tonen dat de klachten door het ongeval zijn ontstaan.
Het afhandelen van een schadeclaim begint altijd met het aantonen van de aansprakelijkheid. Meestal levert dit geen problemen op en blijkt al uit het Europese schadeformulier (ESF) dat na het ongeluk is ingevuld, hoe het ongeluk heeft plaatsgevonden en wie de aansprakelijke partij is. Daarom is het belangrijk altijd een schadeformulier in te vullen, al is de schade van de aanrijding nauwelijks te zien. Zelfs een lichte aanrijding bij een lage snelheid kan zeer schadelijke gevolgen hebben voor de nek, omdat de ernst van het whiplash-trauma niet alleen afhankelijk is van de intensiteit van de klap, maar ook van de stand van de nek op het moment van het ongeluk. Op het schadeformulier moeten ook de lichamelijke klachten vermeld worden die direct na het ongeluk zijn opgetreden.
Wanneer ook na het invullen van het schadeformulier onduidelijk is wie aansprakelijk gesteld kan worden voor de schade, is het altijd aan te raden de eigen assurantietussenpersoon in te schakelen, juridisch advies in te winnen en in contact te treden met vertegenwoordigers van de maatschappij waar de tegenpartij een WAM-verzekering heeft afgesloten. Sommige zaken zijn te ingewikkeld om persoonlijk af te handelen, zeker als men intussen whiplash-patiënt is geworden.
Een WAM-verzekering voor automobilisten is in Nederland verplicht. Whiplash-patiënten die zijn aangereden door iemand die geen WAM-verzekering heeft, kunnen zich wenden tot het Waarborgfonds Motorverkeer dat speciaal voor dit soort gevallen is ingesteld. De schade (materiële schade en smartegeld) als gevolg van een ongeluk zal door het waarborgfonds vergoed worden, als de niet-verzekerde automobilist schuld had aan de aanrijding. Het waarborgfonds treedt dan op als verzekeraar van de schuldige partij.
De verzekering van de schuldige partij of het waarborgfonds vergoeden dus allerlei schadeposten zoals het verlies van arbeidsvermogen, de beperkingen die zich voordoen in het dagelijks leven, de kosten die gemaakt worden voor medische behandeling, verzorging, vervoer, juridische bijstand en de eventuele aanschaf van hulpmiddelen.

Rechtsbijstand, juridische adviesbureaus, letselschade-advocaten
Het schatten van de gezondheidsschade en andere schades die voor vergoeding in aanmerking komen is een gecompliceerde procedure. Wie een rechtsbijstandsverzekering heeft, kan de juristen van deze maatschappij de zaak laten afhandelen. Deze juristen zijn doorgaans goed ingevoerd in de afwikkeling van letselschade. Heeft de patiënt geen rechtsbijstandsverzekering, dan kan hij zelf een advocaat of juridisch adviseur inschakelen. Hij zal deze dan wel in eerste instantie uit eigen zak moeten betalen. Dit geldt ook voor mensen die wel een rechtsbijstandsverzekering hebben, maar daar liever geen gebruik van willen maken. De kosten voor juridische bijstand die gemaakt worden door het slachtoffer, kunnen doorgaans wel op de tegenpartij verhaald worden zodra deze de aansprakelijkheid voor het ongeluk erkent.
Door de groei van het aantal auto's in Nederland en de daardoor toegenomen hoeveelheid ongelukken, is het aantal letselschadeprocedures fors gestegen. In 1993 werd er ongeveer 300 miljoen gulden uitgekeerd voor whiplash-trauma's en dat bedrag wordt elk jaar hoger. Letselschade is dus een groeimarkt. Vandaar dat tegenwoordig zoveel advocatenkantoren en juridisch adviesbureaus zich specialiseren in letselschade en in het bijzonder in whiplash-gevallen.

LSA-advocaten
Voor de patiënt is het zeer moeilijk uit te maken waar hij nu het best terecht kan met zijn schadeclaim. Een paar advocaten hebben eind jaren tachtig de Vereniging van Letselschade-advocaten (LSA) opgericht, omdat ze in de praktijk tot de ontdekking kwamen dat een groot aantal advocaten te weinig kennis bezat om zaken die letselschade betroffen goed te behandelen. Mr. J. Meyst-Michels, letselschade-specialist bij Houthoff, advocaten en notarissen in Rotterdam en voorzitter van de LSA, zegt het volgende daarover.

> De LSA is opgericht door een groepje advocaten dat zich intensief met letselschadezaken bezighield. Tijdens de procedures kwamen zij vaak met andere advocaten in aanraking van wie de kennis over het onderwerp veel te wensen overliet. Dat uitte zich in de meest absurde eisen voor smartegeld, in verkeerde berekeningen van schade door verlies van arbeidsvermogen en ga zo maar door. Zij zagen de cliënt daarvan de dupe worden. Dat is natuurlijk niet de bedoeling, cliënten in een letselschadezaak hebben het al moeilijk

genoeg met hun lichamelijke beperkingen. Die mensen moeten vakkundig bijgestaan worden door iemand die de wet- en regelgeving door en door kent.
Vandaar dat dit groepje door de wol geverfde letselschade-advocaten een vereniging heeft opgericht, waarvan iemand alleen maar lid mag worden als hij al een aantal jaren praktizerend advocaat is en onze opleiding met goed gevolg heeft doorlopen. Samen met de Grotius Academie, een instituut voor postdoctorale opleidingen, heeft de LSA namelijk een zeer gedegen opleiding van zeven maanden samengesteld waarin allerlei zaken aan de orde komen, zoals het aansprakelijkheidsrecht in al zijn vormen, de regelgeving van volksverzekeringen, het berekenen van schade-componenten, het inschakelen van allerlei deskundigen, medische raden van toezicht enzovoort. Daarnaast leert de advocaat hoe hij de bewijslast kan verzamelen. Bij een WA-procedure is het namelijk zo dat de cliënt moet bewijzen dat zijn functioneren gestoord is als gevolg van het ongeluk. Daarvoor moeten er medische expertises op tafel komen, en als het goed is heeft de LSA-advocaat een heel netwerk van artsen, neurologen en neuropsychologen die daarvoor kunnen zorgen.
Tijdens de opleiding wordt ook aandacht geschonken aan het omgaan met cliënten. Veel whiplash-patiënten zijn heel emotioneel, ze gaan huilen of worden juist verschrikkelijk boos. Daar moet je als advocaat ook mee uit de voeten kunnen, sociale vaardigheden zijn absoluut nodig in dit vak. Aan het eind van die zeven maanden volgt een zwaar examen. Wie daarvoor slaagt mag zich LSA-advocaat noemen en is specialist op het gebied van letselschade.

LSA-advocaten treden zowel voor verzekeraars op als voor whiplash-patiënten. Als twee LSA-advocaten elkaars wederpartij zijn in de procedure, scheelt dit ook in de tijdsduur van een zaak, omdat er sneller overeenstemming zal zijn over een aantal belangrijke zaken zoals de schadeberekening. Veel grote kantoren hebben inmiddels een LSA-advocaat in huis, vaak zelfs meerderen. De wachtlijsten voor de opleiding zijn lang en niet iedereen slaagt de eerste keer voor zijn examen. De strenge norm van het examen wordt ook na die proeve van bekwaamheid nog voortgezet. Een LSA-advocaat is verplicht om van de allerlaatste ontwikkelingen op de hoogte te blijven, naar congressen over letselschade te gaan en veel artikelen over het onderwerp te lezen. Omdat deze advocaten zo gespecialiseerd zijn, hebben ze relatief hoge uurtarieven. Dat hoeft echter geen problemen op te leveren, omdat de verzekering van de aansprakelijke partij de kosten vergoedt en daar hoort ook de juridische bijstand bij. Meyst-Michels zegt daar het volgende over.

> De drempel van een advocatenkantoor is voor veel mensen nogal hoog, ze gaan vaak eerder naar bureaus voor juridische bijstand. Maar daar zit veel kaf tussen het koren. Vaak beloven ze mensen enorme, Amerikaans aandoende bedragen voor schadevergoedingen, die hier in Nederland slechts zeer zelden worden uitgekeerd. Die bureaus vragen als beloning voor hun werk een percentage van de som geld die de cliënt van de verzekering krijgt. Dit lijkt in eerste instantie aantrekkelijk, omdat je wordt geholpen zonder één cent uit te geven. Maar vaak beloven ze meer dan ze waar kunnen maken en komt de cliënt van de regen in de drup. Er zitten natuurlijk ook hele goede, erkende bureaus tussen, met terzake kundige mensen. Daarom zou ik whiplash-patiënten en andere mensen met letselschade willen aanraden om goed om zich heen te kijken voordat ze met een juridisch adviseur of advocaat in zee gaan. Om de mensen die kans te bieden is elk eerste consult met een LSA-advocaat helemaal gratis.

Joost Wildeboer is al een aantal jaren als LSA-advocaat werkzaam bij advocatenkantoor Loeff Claeys Verbeke te Rotterdam en vertelt over zijn praktijkervaring.

> Als letselschade-advocaat moet je erop bedacht zijn dat je omgaat met mensen die vol emoties zitten. Het is heel ander werk dan bijvoorbeeld belastingrecht. Die menselijke component maakt het natuurlijk ook zo interessant. Het is belangrijk dat je in kunt schatten hoe die mensen zich voelen, wat ze van je verwachten en hoe je ze te woord moet staan. Sommige whiplash-patiënten storten hier hun hart uit, omdat ze pijn hebben en gefrustreerd zijn. Als advocaat moet je ze daarvoor ook de ruimte geven. De tranen drogen meestal vrij snel weer, omdat de meesten wel weten dat ze in eerste instantie niet naar een advocaat gaan om troost en begrip te zoeken. Ze willen schadevergoeding voor het leed dat ze is aangedaan en de kosten die ze daardoor gemaakt hebben.
> Er wordt van je verwacht dat je ze helder kunt uitleggen hoe alle regelingen en procedures in elkaar zitten. Ik beloof ze nooit gouden bergen, maar ik pas er ook voor op dat ze niet moedeloos

worden. Er doen nogal wat indianenverhalen de ronde over de bedragen die whiplash-patiënten zouden kunnen claimen. Soms denken mensen dat ze wel een ton kunnen vragen, omdat ze tijdens een feestje van een kennis hebben gehoord dat zijn buurman dat ook heeft gekregen. Zo'n groot bedrag wordt wel eens uitgekeerd, maar dan is het meestal een combinatie van een aantal soorten schadevergoedingen. Daar kan een paar duizend gulden smartegeld in zitten, een halve ton vergoeding voor inkomensderving en nog eens tienduizenden guldens vergoeding voor kosten van ziekenhuisopname en verdere behandeling. Ik noem maar wat.
Het bedrag dat uitgekeerd wordt door de verzekering is bij iedere patiënt verschillend, afhankelijk van het soort schade dat hij lijdt.
Als LSA-advocaat probeer je dan inzicht te krijgen in de aard en de omvang van de schade die de cliënt heeft. Een goed voorbeeld van een methode om daar achter te komen is het bijhouden van een dagboek. Daarin kan de patiënt opschrijven welke beperkingen hij in het dagelijks leven ondervindt. Het is de taak van een LSA-advocaat om daar dan een prijs voor te berekenen.
Een voorbeeld: stel je kunt door een whiplash-trauma de bladeren niet meer uit je dakgoot halen en je moet de buurman vragen dat te doen. Krijg je dan het geld terug van de fles cognac die je de buurman daarvoor geeft of moet er een bedrag op tafel komen om het verlies aan 'zelfredzaamheid' te dekken? En hoe vertaal je het niet meer kunnen knippen van je teennagels, het onvermogen om zware boodschappen te sjouwen of het met geen mogelijkheid meer kunnen indraaien van een nieuw gloeilampje, in een geldelijk bedrag? Een LSA-advocaat leert tijdens zijn opleiding om de beperkingen in het dagelijks leven, die misschien niet onoverkomelijk zijn maar wel heel hinderlijk omdat ze de whiplash-patiënt tot een afhankelijk persoon maken, in te schatten en daar een schadeclaim aan te verbinden. Dat kan dus alleen als hij een lijst heeft van de activiteiten die de patiënt niet meer zelfstandig kan uitvoeren.
Een andere tip die we aan cliënten geven, is dat ze alle bonnen en rekeningen die te maken hebben met onkosten als gevolg van het letsel moeten bewaren. Ik vraag cliënten met letselschade ook altijd om een dossier van de zaak aan te leggen. Een gemiddelde whiplash-zaak duurt toch al gauw twee tot vier jaar en het is best moeilijk om allerlei belangrijke zaken zo lang tot in detail te onthouden.
In het algemeen is het onverstandig om een zaak binnen twee jaar af te handelen. Eerst moet de aansprakelijkheid worden vastgesteld.

Dan moeten er allerlei rapporten op tafel komen die getuigen van de medische toestand van de cliënt, zoals medische expertises, verklaringen van de werkgever en dossiers van het GAK. Meestal wordt er gewacht met het uitkeren van het bedrag totdat de klachten van de patiënt zich stabiliseren en er een eindtoestand kan worden vastgesteld. Dit gebeurt meestal rond anderhalf tot twee jaar na het ongeluk. De advocaat moet in de tussentijd ook steeds op de hoogte blijven van de voortgang van de ziekte van zijn cliënt. Sommige klachten verminderen in de loop der tijd, andere blijken misschien chronisch te zijn. Pas als duidelijk is welke klachten tijdelijk waren en welke chronisch zijn, kunnen we nauwkeurig berekenen hoeveel schade de cliënt heeft geleden. Dat is een moeilijke en langdurige procedure. Vervolgens gaan we onderhandelen met de verzekeringsmaatschappij. De whiplash-patiënt moet dus veel geduld hebben en niet verwachten dat zijn vergoeding snel wordt uitgekeerd. Wel kunnen er op kortere termijn een of meer voorschotten worden uitgekeerd. Dat gebeurt voornamelijk bij patiënten die veel kosten hebben gemaakt. Ook op het smartegeld wordt regelmatig een voorschot uitgekeerd.

Sommige whiplash-patiënten willen uit psychologisch oogpunt de zaak liever snel afhandelen, omdat ze door de medische testen, de bezoeken aan de advocaat en alle brieven over de regelingen met de verzekering steeds weer herinnerd worden aan hun ziek-zijn. Zij kunnen het ongeluk en de daarbij behorende ziekteperiode niet goed verwerken zolang de schadeclaim niet is betaald. Dit heet 'rente-neurose'. Soms moet de juridisch adviseur of advocaat de zaak op verzoek van de cliënt snel afhandelen. Als het goed is, wordt de cliënt dan wel gewaarschuwd dat hij na ondertekening van de ontvangst geen rechten meer heeft op verdere schadevergoeding. Dus als een half jaar later blijkt dat de whiplash-patiënt zijn nieuwe baan niet aankan en weer instort, kan hij daar geen nieuwe claim voor neerleggen. Een goede letselschade-advocaat moet bovendien zijn weg weten in het woud van uitkeringen en het arbeidsrecht, om zijn cliënt te kunnen adviseren wat hij ook op dat gebied het best kan doen.
Kortom: de LSA-advocaat moet op de hoogte zijn van alle wetten, regelingen en procedures rondom een letselschade, hij moet een kring van medisch specialisten om zich heen verzamelen waar hij de cliënt naartoe kan sturen voor een onderzoek en hij moet met alle partijen kunnen communiceren. Daarnaast moet hij gedurende

een lange periode gemotiveerd blijven om de cliënt verder te helpen. Wildeboer: 'Ik heb heel gemotiveerd voor dit specialisme gekozen en heb veel tijd aan de opleiding besteed. Als whiplash-patiënten bij een LSA-advocaat aankloppen, weten ze in elk geval dat hij kundig is en het beste met hen voorheeft.'

De juristen van rechtsbijstandsverzekeraars en de juristen van de erkende letselschadebureaus moeten in principe aan dezelfde eisen voldoen als een LSA-advocaat, willen ze de whiplash-patiënt goed bijstaan. Als whiplash-patiënten gerede twijfel hebben over het functioneren van degenen die hen juridische bijstand verlenen, dan kunnen ze overwegen om naar een andere advocaat of juridisch adviseur te gaan.
Het is in elk geval onverstandig om in complexe letselschadegevallen zelf de zaak met de verzekeringsmaatschappij af te handelen. Ook is het niet aan te raden om buiten de advocaat of juridisch adviseur om gegevens over te dragen aan de verzekeringsmaatschappij van de tegenpartij. De meeste whiplash-patiënten hebben te weinig kennis om zichzelf goed te kunnen vertegenwoordigen in een zo ingewikkelde procedure als letselschade. Als ze daar toch toe besluiten, lopen ze kans zichzelf te benadelen.

De andere kant van het verhaal: de verzekeraar

De gezamenlijke Nederlandse verzekeringsmaatschappijen worden met ongeveer 15.000 nekletsel-schadeclaims per jaar geconfronteerd. Dat is een extreme vermeerdering vergeleken met het aantal claims in het begin van de jaren tachtig. Voor de uitbetaling van deze claims worden miljoenen gereserveerd. Het aantal schadeclaims in Nederland is relatief groot en de vergoeding die per geval geclaimd wordt, is gemiddeld hoger dan in onze buurlanden. Dat heeft alles te maken met het feit dat de wetgever en rechter in Nederland doorgaans 'slachtoffervriendelijk' zijn bij whiplash-zaken. De gevleugelde uitspraak 'wie eist, bewijst' die tot nu toe meestal opging voor eisers van een letselschadeclaim, wordt in de juridische procedures rondom whiplash-zaken meer en meer losgelaten omdat het whiplash-trauma moeilijk objectief aantoonbaar is. De huidige foto- en scan-methoden leveren geen onweerlegbare bewijzen op van een zichtbaar letsel. De diagnose wordt dus alleen gesteld aan de hand van het klachtenpatroon dat de patiënt kenbaar maakt. Het is aan de verzekeraar om te bewijzen dat wat de patiënt zegt niet waar is.

Dilemma

Een moeilijke situatie voor beide partijen: de patiënt wil graag een zo groot mogelijke vergoeding voor het hem aangedane leed, de verzekeraar wil het geld van zijn verzekeringnemers niet nodeloos uitgeven om zo weer een verhoging van de premie te riskeren. Volgens F. Th. Kremer, hoofd Speciale zaken bij Nationale Nederlanden is dit inderdaad een groot dilemma.

> We gaan er in beginsel van uit dat de whiplash-patiënt die bij ons een schadevergoeding claimt de waarheid spreekt en we nemen zijn klachten serieus. Wanneer wij een letselschadeclaim binnen krijgen, bellen we tegenwoordig het slachtoffer meteen op en vragen hoe het ermee staat.
> We hebben uit ervaring geleerd dat het voor whiplash-patiënten heel belangrijk is dat ze door ons als slachtoffer erkend worden. Dat voorkomt de zogenaamde 'frustratie-schade', die kan ontstaan als het whiplash-slachtoffer zich onbillijk behandeld voelt door de verzekeraar en daardoor een vijandige houding aanneemt. Hierdoor kunnen bij de patiënt negatieve psychische prikkels ontstaan, die zijn klachten kunnen verergeren en waardoor hij zichzelf alleen maar meer zou duperen. Bovendien hechten we grote waarde aan een open communicatie tussen de eiser en onze maatschappij. Als mensen iets willen vragen of willen melden dat hun situatie veranderd is, dan kunnen ze altijd contact met ons opnemen of het via hun raadsman laten weten.
> Maar het is natuurlijk wel onze taak om het geld dat via onze verzekeringnemers binnenkomt zo goed mogelijk te beheren. We moeten alert blijven op fraude. Er zijn grofweg vier soorten whiplash-patiënten: de grootste groep bestaat uit mensen die wel iets aan een whiplash hebben overgehouden, maar bij wie de klachten na ongeveer twee maanden zijn verdwenen. Op de tweede plaats zijn er de ernstige, langdurige gevallen van wie duidelijk is dat zij vóór het ongeluk normaal functioneerden en dat zij door het auto-ongeluk niet meer het leven kunnen leiden dat zij voorheen leidden. De afwikkeling van deze schadeclaims verloopt meestal zonder enig oponthoud. Dan is er een kleine groep echte fraudeurs, die veel meer klachten voorwenden dan zij in feite hebben. Iedereen die de media een beetje volgt, weet welke klachten een

whiplash-patiënt kan hebben. Doordat het sociale vangnet van uitkeringen steeds smaller wordt, groeit het aantal mensen voor wie een letselschadevergoeding de oplossing is voor financiële problemen. De laatste groep bestaat uit mensen die weliswaar whiplash-achtige klachten hebben, maar waarvan het de vraag is of die klachten ook allemaal veroorzaakt zijn door het ongeval. Deze mensen gebruiken hun whiplash om andere klachten te 'witten'. Ze grijpen het whiplash-trauma aan als veroorzaker van allerlei vage klachten die voortkomen uit problemen op het werk of in de relationele sfeer. Het is natuurlijk gemakkelijker om tegen je baas te zeggen: 'Ik blijf morgen thuis want ik heb een whiplash,' dan om te zeggen: 'Ik voel me zo rot, want ik lig in echtscheiding.' Deze groep mensen, zo blijkt uit onze ervaring, ondervindt wel degelijk hinder van het whiplash-trauma, maar heeft misschien meer klachten dan gezien het letsel logisch zou zijn. Soms is men zich daar zelf niet eens van bewust.

Het is voor de patiënt dus moeilijk om te bewijzen dat hij serieuze klachten heeft die een direct gevolg zijn van het whiplash-trauma. Kremer: 'De whiplash-patiënt die aannemelijk kan maken dat hij vóór het ongeluk een "schone" startsituatie had, dat wil zeggen dat hij geen uitgebreid medisch dossier had met daarin psychische aandoeningen of andere niet-objectiveerbare aandoeningen zoals bijvoorbeeld lage rugpijn, dat de verhoudingen op de werkvloer goed waren en dat ook zijn sociale situatie niet te wensen overliet, heeft het gemakkelijker in een schadeprocedure dan mensen die dat niet aannemelijk kunnen maken.'

D. van der Kwaak, medisch adviseur van Nationale Nederlanden, zegt hierover:

Whiplash blijft een heel vaag begrip. Tegenwoordig worden veel klachten die niet objectief aantoonbaar zijn al snel onder de noemer 'whiplash-trauma' gebracht. De vraag is in hoeverre je daar als verzekeraar in mee moet gaan. Eigenlijk is een auto-ongeluk en het klachtenpatroon dat daarna is ontstaan het enige bewijs voor een whiplash-trauma. Daarom raad ik iedereen aan om na een ongeluk de klachten goed te laten vastleggen. Vermeld het hebben van nekklachten op het schadeformulier, ga naar de dokter en laat de klachten registreren. Hoe langer de periode tussen het ongeluk en de gemelde klachten, hoe meer argwaan er aan de kant van de ver-

zekeraar kan ontstaan. Ook als men het in eerste instantie niet op het schadeformulier heeft gemeld en er pas na een aantal dagen klachten komen, is het verstandig alsnog naar de dokter te gaan en de klachten aan de verzekeringsmaatschappij te melden.
Daarnaast is het van belang om een juridisch adviseur in de arm te nemen, die de zaken met de verzekeringsmaatschappij kan regelen.
Wanneer na een aantal jaren blijkt dat het whiplash-slachtoffer de rest van zijn leven arbeidsongeschikt blijft of thuishulp nodig heeft, kunnen de bedragen die geclaimd worden erg hoog worden. Op dat moment zullen wij vragen om een objectief onderzoek.
De keuringen zijn in de loop der jaren niet strenger geworden, maar wel uniformer en duidelijker. Wij hebben natuurlijk zelf ook het een en ander geleerd. Voor beroepen waarin men voornamelijk met zijn 'hoofd' werkt, kan men de patiënt een neuro-psychologische test afnemen en voor beroepen waar men voornamelijk met zijn 'handen' werkt, kan de whiplash-patiënt aan een testmachine worden gezet, die bijvoorbeeld objectief kan meten hoeveel kracht iemand nog heeft als hij bovenhands moet werken. Het is altijd in het belang van de eiser als hij aan die onderzoeken meewerkt, maar wanneer een verzekeringsmaatschappij hem vraagt zich aan een – in zijn ogen onzinnig onderzoek – te onderwerpen, hoeft hij daar natuurlijk niet op in te gaan. Wij kunnen niemand dwingen zich te laten testen. Bovendien zijn wij nogal voorzichtig met het voorstellen van tests. Het is vaak een grote belasting voor een whiplash-patiënt die toch al genoeg aan zijn hoofd heeft en de resultaten van zo'n test zijn niet altijd objectief. Als we op een andere manier tot overeenstemming kunnen komen, zullen we dat, in het belang van de patiënt, zeker doen.

Standaardprocedure

De afhandeling van de duizenden claims voor letselschade als gevolg van een whiplash-trauma die jaarlijks hun weg naar de verzekeraars vinden, is arbeidsintensief. Omdat er nog geen standaardisering is die aangeeft bij welke graad van invaliditeit of beperking men welk bedrag uitkeert, moeten alle gegevens uit elk dossier apart geanalyseerd en beoordeeld worden. Het Verbond van Verzekeraars, de overkoepelende organisatie die de belangen behartigt van alle daarbij aangesloten verzekeringsmaatschappijen, maakt zich sterk voor standaardisering van de dossiers. A. van Leeuwen, woordvoerster van het Verbond van Verzekeraars:

Wij hebben in naam van alle verzekeringsmaatschappijen contact met de overheid, met patiëntenverenigingen en met consumentenorganisaties. Het whiplash-trauma kost de samenleving, waaronder de verzekeraars, veel geld, alles bij elkaar ongeveer één miljard per jaar. Alle uitkeringen zullen door gezonde mensen moeten worden opgebracht. In de laatste jaren is de premie voor een WAM-verzekering al verhoogd vanwege de stijgende schade rondom whiplashtrauma's. De gezamenlijke verzekeraars zetten zich in om het aantal whiplash-trauma's zo laag mogelijk te houden en de behandelperiode van een whiplash-syndroom zo kort mogelijk te maken. Daarom hebben we onder andere met Veilig Verkeer Nederland de actie 'Voorkom nekletsel' gestart, coördineren en sponsoren wij onderzoek naar het ontstaan en de behandeling van whiplash-trauma's en proberen wij gestandaardiseerde procedures te ontwerpen voor het traject dat de whiplash-patiënt in medische en juridische zin doorloopt. Het is in het belang van de verzekeraars, de verzekeringnemers èn de whiplash-patiënten dat het aantal whiplash-letsels vermindert en dat de medische behandeling en juridisch/verzekeringstechnische afhandeling van een whiplash-geval op een adequate, georganiseerde en snelle manier gebeuren.

Ondanks alle klantvriendelijke maatregelen die de verzekeringsmaatschappijen voor whiplash-patiënten hebben getroffen, kan het voorkomen dat bij de afwikkeling van de letselschadeprocedure geen overeenstemming wordt bereikt. Whiplash-patiënten die ontevreden zijn over de afhandeling van hun dossier door de verzekeringsmaatschappij, kunnen eventueel via hun juridisch adviseur een klacht indienen bij de Raad van Toezicht op het Schadeverzekeringsbedrijf of bij de Ombudsman Schadeverzekering, beide te bereiken onder telefoonnummer 070-3614731.

8 *De werkvloer*

De veranderingen op het werk

De meeste werkgevers zullen behoorlijk schrikken wanneer een werknemer meldt dat hij een auto-ongeluk heeft gehad of een lelijke val heeft gemaakt. In de eerste plaats uit bezorgdheid voor hun medewerker, maar ook omdat deze ongevallen een grote schadepost kunnen betekenen voor het bedrijf of de instelling. Als een werknemer zich vervolgens snel weer op zijn werkplek meldt en aan de slag gaat, wordt er door zijn werkgever opgelucht ademgehaald. Des te groter is de klap wanneer na korte tijd blijkt dat de werknemer toch zodanig gewond geraakt is, dat hij voor langere tijd de ziektewet in gaat. Hij blijkt een whiplash-trauma te hebben. Ondanks alle recente publiciteit over dit fenomeen, is het whiplash-trauma nog steeds geen ingeburgerd begrip. Veel mensen hebben de klok horen luiden, ze weten bijvoorbeeld dat het iets met auto-ongelukken en pijn in de nek te maken heeft, maar kunnen desgevraagd geen goede beschrijving van een bijbehorend ziektebeeld geven. Aan de slachtoffers is nagenoeg niets te zien. Toch produceren ze nog maar een fractie van hun gewone werk en hebben klachten over vermoeidheid en pijn. Als de werkgever bij zijn Arbodienst gaat informeren hoe lang het gaat duren voordat de werknemer naar zijn werk kan terugkeren, zal hij geen eenduidig antwoord krijgen. Net als de patiënten zelf hebben werkgevers geen enkele zekerheid over de duur en de ernst van de aandoening. Sommige werknemers met een chronisch whiplash-syndroom kunnen, ondanks hun beperkingen, nog terugkeren op hun oude werkplek, voor anderen is dat niet meer mogelijk.

Beperkingen

Als het whiplash-trauma vast is komen te staan, gaat de patiënt de medische molen in. Slechts weinig medici wagen zich aan een prognose als het om een whiplash-trauma gaat. De ernst van de

beperkingen verschilt per patiënt en is bovendien afhankelijk van het soort werk dat hij doet. Als er alleen sprake is van lichamelijke klachten zoals bijvoorbeeld krachtverlies, vermoeidheid, schouder- en nekpijn, tintelingen in armen en handen, dan kan dat leiden tot arbeidsverlies in de beroepen waarvoor men een goede lichamelijke conditie nodig heeft. Schilders, havenarbeiders, steigerbouwers en bouwvakkers kunnen hun werk niet meer uitoefenen omdat er beperkingen optreden in het til- en draagvermogen, in het bovenhands werken, in het klimmen en in de hand- en vingervaardigheid.
Wanneer sommige hersenfuncties van de patiënt ook gestoord zijn, dan is er sprake van een veel complexer geheel aan beperkingen. De informatieverwerking van de patiënt is dan vertraagd door vermoeidheid en concentratieverlies. Daardoor zal hij zowel bij lichamelijke als mentale arbeid het tempo van zijn omgeving niet kunnen bijbenen. Het is echter wel van belang om te weten dat alleen het tempo van de informatieverwerking is vertraagd, niet de wijze van verwerken zelf. Een whiplash-patiënt is nog net zo intelligent en creatief en kan nog net zo goed oordelen en beslissingen nemen als voor het ongeluk. Alles gaat alleen wat trager en het kost meer energie. Iemand die zeer eenvoudig, gestructureerd werk doet en daarbij zijn eigen tempo kan bepalen, zal minder last hebben van de aandoening dan iemand die complexe taken heeft en die onder tijdsdruk en in teamverband moet uitvoeren. In de meeste gevallen is het moeilijk te bepalen hoeveel de werknemer nog kan en wat er in de toekomst weer mogelijk zal zijn. De situatie is voor zowel de werknemer als de werkgever onduidelijk, onzeker en bijzonder onprettig. De patiënt voelt zich vaak schuldig omdat hij niet meer goed functioneert en maakt vervolgens de fout om, zodra de pijn wat geluwd is, weer part-time aan de slag te gaan.
Het is de taak van de bedrijfsarts, Arbo-dienst of werkgever om ervoor te waken dat dit niet gebeurt. In een ideale situatie geeft een werkgever zijn werknemer de ruimte om goed uit te zieken. Wanneer de zieke werknemer eenmaal besluit om terug te keren naar de werkplek dan is het aan te raden hem zelf te laten bepalen hoeveel uur per dag hij in staat is te werken. Dit vertrouwen in de 'goodwill' van de werknemer kan een heilzame werking hebben op het zelfvertrouwen van de whiplash-patiënt en na verloop van tijd resulteren in een volledige terugkeer op de werkvloer. Als de werkgever echter dezelfde prestaties in hetzelfde tijdsbestek verlangt als voor het ongeluk, dan is de kans groot dat de patiënt het tempo niet

volhoudt en met dezelfde klachten weer voor langere tijd terugkeert in de ziektewet. Het is voor een werkgever of arbeidsdeskundige echter moeilijk in te schatten hoe zwaar de whiplash-patiënt belast kan worden. De enige die dat aan kan geven is de patiënt zelf.

De werkgever

Een langdurige ziekte van een werknemer is voor werkgevers altijd problematisch. Het werk zal toch door iemand gedaan moeten worden, dus moet er ofwel vervanging gezocht worden ofwel het werk moet verdeeld worden over de rest van de collega's. Daarnaast is het typerend voor een whiplash-syndroom dat het niet duidelijk is of de patiënt nog op hetzelfde niveau kan blijven functioneren. Dat blijkt pas in de praktijk. Soms is het noodzakelijk om de werknemer een andere functie te geven of om zijn werkplek en werkzaamheden zodanig aan te passen dat ze aansluiten bij zijn huidige capaciteiten. Vooral voor werknemers die zware fysieke arbeid verrichten zoals bouwvakkers, werknemers die voortdurend geconcentreerd moeten zijn zoals luchtverkeersleiders of werknemers die onder grote tijdsdruk moeten werken, zoals nieuwsjournalisten, is het whiplash-syndroom een complicerende factor bij het uitoefenen van hun functie.
Whiplash-patiënten met een jaar- of tweejaarcontract worden vaak geconfronteerd met de beëindiging van hun dienstverband, omdat de werkgever niet zeker is van het verloop van hun ziekte. Zij vormen daardoor een riskante schakel in het produktieteam. Ook werknemers met een vaste baan die uitgeschakeld zijn door het whiplash-trauma, kunnen na twee jaar ziekte door de werkgever rechtmatig ontslagen worden. Dit komt voornamelijk voor als er geen enkele mogelijkheid bestaat om de whiplash-patiënt een andere functie te geven of zijn huidige functie aan te passen. Bij de Arbo-diensten heeft men zich inmiddels gebogen over het whiplash-probleem, dat uitermate gecompliceerd is omdat er voor iedere whiplash-patiënt weer andere aanpassingen nodig zijn. Het is moeilijk om precies vast te stellen hoe zwaar iemand nog belast kan worden en welke omscholing, herplaatsing of aanpassing uitkomst kan bieden. Volgens de Wet Arbeid Gehandicapte Werknemers (WAGW) is de wetgever verplicht de werkplek aan te passen aan de beperkingen van de gehandicapte. Bij whiplash-patiënten

zou dit bijvoorbeeld kunnen betekenen dat ze een andere stoel krijgen of dat hun produktie- of werkmethoden worden aangepast. Wanneer de whiplash-patiënt daardoor zijn oude werk kan blijven doen, kan de werkgever op eigen aanvraag de extra kosten van de aanpassing vergoed krijgen volgens artikel 57a van de Algemene Arbeidsongeschiktheidswet (AAW). Wetten en regels zijn noodzakelijk, maar de werkgever moet in de eerste plaats geïnteresseerd zijn in de werknemer en de moeite nemen zich in de aandoening te verdiepen. Alleen dan kan er een plan gemaakt worden om de zieke werknemer zo snel mogelijk en op een verantwoorde manier weer aan het werk te krijgen.
Sommige patiënten krijgen gelukkig alle steun van hun werkgever en collega's. Francine (28), ontwerpster bij kantoorinrichter Ahrend, ondervond dit aan den lijve. Volgens haar ligt dat echter ook aan de houding die de zieke zelf heeft ten opzichte van het werk.

Het is belangrijk om duidelijk te zijn tegenover je baas en je collega's. Iedereen weet wel dat je een whiplash-trauma hebt, maar ze kunnen niet aan jou zien hoe je je voelt en hoeveel werk je kunt verzetten. Dat is afhankelijk van je conditie en die kan per dag verschillen. Ik heb er in eerste instantie heel veel aan gehad dat mijn collega's me niet hebben laten vallen. Toen ik maanden achter elkaar thuiszat kwamen ze af en toe lunchen, of ze namen me mee naar het kantoor om even koffie te drinken en te laten zien waar ze mee bezig waren. Daardoor bleef ik op de hoogte van alle nieuwtjes en voelde me betrokken bij alles wat er gebeurde. Bovendien gaven ze me het gevoel dat ze het belangrijk vonden dat ik terugkwam, zonder me daarbij te 'pushen'. Ik ging weer werken, toen ik er echt zeker van was dat ik het ten minste een paar uur vol zou kunnen houden. Dat kan ik iedereen aanraden. En ga na die uren naar huis om te rusten. Je kunt natuurlijk ook proberen om het de hele dag krampachtig vol te houden en je tempo te verminderen. Maar de kans dat je moe, geïrriteerd en verstrooid wordt, is dan veel groter. Daar hebben je collega's meer last van dan van het feit dat je er niet bent. Ik heb ervoor gekozen om in het begin bijvoorbeeld drie uur per dag te werken. Als ik moe was, meldde ik dat en ging ik naar huis. Mijn collega's wisten dus dat op de momenten dat ik er was, ze me rustig konden aanspreken en mij opdrachten konden geven. Gelukkig kreeg ik daarbij alle steun van mijn toenmalige baas. Hij stond er helemaal achter dat ik mijn eigen herstel het allerbelangrijkste vond.

Arno de Man, ten tijde van het ongeluk de werkgever van Francine, is het daar helemaal mee eens:

> Een spoedig herstel van een werknemer is natuurlijk ook voordelig voor het bedrijf. Je personeel is je belangrijkste kapitaal, daar moet je niet achteloos mee omspringen. Ik ga ervan uit dat mijn personeel loyaal is en dat het graag wil werken. Mijn taak als werkgever is het dan om een omgeving te creëren waarin mensen met plezier werken en daardoor maximaal presteren. Omdat ik al eens eerder een werknemer met een whiplash-trauma had gehad, wist ik dat het herstel van Francine een langdurige zaak zou worden. Dat geeft natuurlijk problemen met de werkverdeling. Daar moeten oplossingen voor gezocht worden. Die waren in dit geval van tijdelijke aard, omdat ik er steeds van uit ben gegaan dat Francine weer zou herstellen. Een langdurige ziekte is voor mij geen reden om iemand op een zijspoor te zetten. Een goede werkrelatie wordt niet verbroken door een auto-ongeluk. In een bedrijf spelen niet alleen zakelijke factoren een rol, ook de menselijke kant is belangrijk. Bovendien kost het werven van een nieuw personeelslid en het inwerken ervan ook heel veel energie en dan moet je nog maar afwachten wat je in huis krijgt. Personeel van hoge kwaliteit dat goed in het teamverband past, is niet zomaar te vinden. Door tijdelijk iemand in te huren was er geen sprake meer van een verhoogde werkdruk bij de rest van het team. Daardoor kreeg Francine de gelegenheid in alle rust te herstellen. Toen ze eenmaal terugkwam, maakte ze ons duidelijk dat ze in de uren dat ze werkte alles op een normaal tempo zou aanpakken, maar dat ze weg zou gaan als het haar te veel werd. En dat systeem werkte prima. Als werkgever word je echter ook geconfronteerd met de rest van het personeel. Je moet de situatie uitleggen en je standpunt duidelijk maken. Iedereen moet ervan overtuigd zijn dat dit de beste manier is om het probleem op te lossen en de werknemer zo snel mogelijk weer aan het werk te krijgen. Het heeft ook zijn voordelen om zo met ziekte om te gaan. De gezonde werknemer ziet hoe zijn collega behandeld wordt en weet dat hij ook zo'n behandeling kan verwachten bij een eventuele ziekte. Dat geeft mensen vertrouwen in de werkgever en daardoor verbetert de sfeer. En de paar zeurders die opmerkingen maken over een voorkeursbehandeling, snoer ik meteen de mond met de vraag of ze met de patiënt willen ruilen. Niemand wil week in, week uit met zware hoofd- en nekpijn thuis op de bank zitten. Ik vind dat je altijd uit moet gaan van de goede

> bedoelingen van je personeel. Als een langdurig zieke werknemer aangeeft dat hij graag wil werken en als dat op den duur medisch ook haalbaar is, dan verdient hij alle medewerking.

Niet iedereen heeft echter het geluk een werkgever of Arbo-dienst te treffen die zo serieus op het whiplash-probleem ingaat. Richard de Bruyn, een 34-jarige organisatie-adviseur, heeft een heel ander verhaal:

> Toen ik mij ziek meldde, dacht ik in eerste instantie dat ik griep had. Het was januari en er heerste een griepgolf. Ik had spierpijn, hoofdpijn, nekpijn, kortom algehele malaise. Maar toen ik na verloop van tijd niet opknapte, ben ik teruggegaan naar de huisarts. Die constateerde toen een whiplash-trauma. Ik heb dit ook meteen aan mijn werkgever gemeld. Die reageerde niet bijzonder geïnteresseerd en zei dat ik dan maar een paar weekjes moest uitzieken. Omdat je als organisatie-adviseur verantwoordelijk bent voor een aantal projecten, heb ik het grootste deel van mijn werk overgedragen aan iemand anders. Een heel ingewikkeld en moeilijk project heb ik toen toch nog maar zelf afgehandeld. En daarna zat ik ziek thuis. Slapen en wat hangen op de bank, meer kon ik niet. Het knaagde wel verschrikkelijk aan me dat ik niet kon werken. Als je van een hele drukke baan naar helemaal niet werken overgaat, dan lijkt het net alsof het leven zinloos is. Na twee maanden, mijn baas had overigens in die periode niets van zich laten horen, ben ik toch maar weer voor vijftig procent aan het werk gegaan. Veertien dagen later zat ik weer full-time thuis op de bank. Volledig afgeknapt. Neurologisch en psychoneurologisch onderzoek bevestigden de diagnose van de huisarts. Ik heb mijn baas toen gebeld met de mededeling dat het nog wel een tijd zou duren alvorens ik terug zou keren naar mijn werk. Hij vroeg hoeveel weken en ik moest hem duidelijk maken dat hij in maanden moest denken. Van de neuroloog had ik schriftelijke informatie over het whiplash-trauma gekregen, dat heb ik toen maar gekopieerd en naar mijn baas gestuurd. Want het was mij al duidelijk dat hij helemaal niets begreep van het ziektebeeld. Gelukkig kreeg ik wel steun van de bedrijfsarts, die mij na verloop van tijd wees op de mogelijkheid om te revalideren. In een revalidatie-oord heb ik toen verschillende soorten behandelingen gehad op het gebied van fysiotherapie, neuropsychologie en sociale begeleiding. Dat was een ommekeer in het hele genezingsproces. Voorheen lag ik alleen maar te slapen en had ik heel weinig energie. Ik werd

steeds suffer. In het revalidatie-oord hebben ze me geleerd niet gefrustreerd te zijn over alles wat ik niet meer kon, maar juist de dingen die ik wel nog kon uit te bouwen. En daar knapte ik behoorlijk van op. Ik wilde ook meteen weer aan het werk. Gelukkig heeft de bedrijfsarts me nog tegen kunnen houden.

Een jaar na het ongeval ging Richard weer voor vijftig procent werken. Intussen hadden zijn collega's het inhoudelijke werk overgenomen en werd hij door zijn baas alleen nog maar ingezet voor ondersteunende activiteiten.

Ik mocht alleen maar hand- en spandiensten doen, zoals archiveren, het begeleiden van stagiaires en het bijwerken van het acquisitiesysteem. Mijn vroegere positie was overgenomen door iemand die na mijn ongeluk was aangenomen. Dat was een klap in mijn gezicht èn heel slecht voor mijn gevoel van eigenwaarde. Na een tijd heb ik mijn baas gevraagd of ik weer als organisatie-adviseur mocht werken. Dat bleek moeilijk, omdat alle projecten eigenlijk op een full-time basis worden aangenomen. Maar er was een klein project dat wel geschikt was en dat ik samen met mijn baas kon doen. Hij had de leiding en ik zou – bij wijze van spreken – de tas dragen. Maar zo ging het niet. Vanaf het eerste moment werd ik in het diepe gegooid. Allerlei taken die mijn baas uit zou voeren, zoals belangrijke presentaties, liet hij op het allerlaatste moment aan mij over. Zo voerde hij de druk heel hoog op. In ons bedrijf stond iedereen altijd onder een grote prestatiedruk. Hoe meer werkdruk je erop zet, hoe meer eruit komt, was het algemene motto. Dat was bij mij ook zo, vóór het ongeluk. Na het ongeluk werkte het precies andersom. Hoe hoger de druk, hoe minder ik presteerde. Mijn baas gebruikte dit project als test-case, althans zo ervoer ik dat. Met veel kunst- en vliegwerk heb ik de opdracht tot een goed einde gebracht, maar het kostte me weer bijna mijn gezondheid. En de relatie met mijn baas is er danig door bekoeld. Het is juist belangrijk dat mensen blij zijn dat je weer komt werken, dat ze vertrouwen in je hebben en proberen je zo goed mogelijk te begeleiden. Mijn baas kon dat niet opbrengen. Na een tijd heeft hij me zelfs gevraagd om naar een andere baan uit te kijken. Maar dat is niet zo eenvoudig als je zo eerlijk bent om te melden dat je een whiplash-trauma hebt. Na drie jaar ellende op het werk heb ik nu gelukkig weer een nieuwe baan gevonden en een baas die bereid is mij een kans te geven omdat hij gelooft in mijn capaciteiten.

Juridisch advies
Als de arbeidsverhouding verstoord is of dreigt te raken door het langdurig ziekteverzuim van de whiplash-patiënt, is het voor beide partijen het overwegen waard om juridisch advies in te winnen. Zowel werkgever als werknemer moet omgaan met een situatie die hun beiden schade berokkent, zonder dat ze daar zelf schuld aan hebben. Daardoor lopen de emoties nogal eens hoog op. Dit is bijzonder stressverwekkend voor de whiplash-patiënt en draagt niet bij tot een spoedig herstel. Door de zaak uit handen te geven aan advocaten of juridisch adviseurs kan er een schikking getroffen worden die wellicht voor beide partijen acceptabel is.

De collega's

Net als de werkgever worden ook de collega's voor een voldongen feit geplaatst. Hun actieve en hardwerkende collega kan opeens nog maar een klein deel van zijn gewone werk aan. Omdat er aan de buitenkant niets te zien is, hij praat en lacht normaal en ziet er door al dat slapen best uitgerust uit, moeten ze hem op zijn verhaal geloven. Dit veroorzaakt nogal eens wrijving, temeer omdat nog zo weinig mensen echt weten wat een whiplash-trauma inhoudt. Er zo gezond uitzien en tegelijkertijd toch te ziek zijn om te komen werken, dat is voor velen moeilijk met elkaar te rijmen. Daarom is het van belang dat er zoveel mogelijk informatie over het whiplash-syndroom wordt gegeven aan de omgeving van de zieke. Dit vergroot de geloofwaardigheid van de whiplash-patiënt en daarmee ook begrip voor zijn aandoening bij collega's. En als de patiënt zich gesteund en begrepen weet door zijn omgeving, voelt hij zich zekerder en zal ook meer presteren.
De whiplash-patiënt kan bijvoorbeeld aan de huisarts vragen om een brief voor de werkgever, waarin de arts uitlegt wat een whiplash is en wat daar de gevolgen van kunnen zijn. Als deze brief algemeen gesteld is, kan hij tegelijkertijd ook dienen als voorlichtingsmateriaal voor de collega's. Een andere manier is het opvragen van de informatiebrochure over de aandoening bij de Nederlandse Stichting Whiplash Patiënten (NSWP, zie 'Adressen') en deze aan belangstellenden en betrokkenen laten lezen.
Het is belangrijk om als whiplash-patiënt steeds te blijven melden hoe het gaat en ook duidelijke grenzen te trekken. Als het niet meer gaat doordat de pijn en vermoeidheid toeslaan, moet er gerust wor-

den. Het herstel moet voorgaan, zelfs als de collega's inspelen op het schuldgevoel, zelfs als de deadline niet gehaald wordt, zelfs als de klant wacht. Anders sleept het ziekteproces langer dan nodig door en daar is uiteindelijk ook de werkgever niet bij gebaat. De whiplash-patiënt is zelf verantwoordelijk voor zijn eigen lichaam en welzijn.

Het GAK en de bedrijfsverenigingen

Het Gemeenschappelijk Administratiekantoor (GAK), dat sinds 1 januari 1996 officieel GAK Nederland BV heet, wordt in toenemende mate geconfronteerd met whiplash-patiënten. Dit kantoor administreert en controleert de ziekte van werknemers, voor de dertien bedrijfsverenigingen die hun administratietaak aan het GAK hebben opgedragen. De overige zes bedrijfsverenigingen, waaronder de DETAM (de bedrijfsvereniging voor onder andere de detailhandel) en het SFB (Sociaal Fonds Bouwnijverheid), controleren zelf.
Bij de bedrijfsverenigingen doet zich ook het probleem voor dat er bijna geen objectieve methoden zijn om vast te stellen in hoeverre de klachten een beperking vormen voor het functioneren van de patiënt. De arts bepaalt op basis van een gesprek met de patiënt, een lichamelijk onderzoek en de verdere medische gegevens die voorhanden zijn, in welke mate de patiënt arbeidsongeschikt is. Althans zo ging het lange tijd. Sinds voorjaar 1996 is de regeling WULBZ (Wet Uitbreiding Loondoorbetaling Bij Ziekte) van kracht. Daarin is vastgelegd dat de werkgevers een doorbetalingsverplichting krijgen voor de ziekteperiode van de werknemer die niet meer twee tot zes weken duurt, maar 52 weken. Het eerste jaar dat iemand ziek is, zal hij moeten worden betaald door zijn werkgever, niet zoals voorheen door de bedrijfsvereniging. Dit geldt alleen als iemand een dienstbetrekking heeft volgens het Burgerlijk Wetboek. Verzekerden zonder een dergelijk dienstverband, zoals uitzendkrachten en mensen met een WW-uitkering, kunnen geen aanspraak maken op een loondoorbetalingsverplichting van de werkgever. Zij kunnen terugvallen op de oude ziektewet, die als 'vangnetverzekering' blijft bestaan. Ondanks alle expertise die het GAK in huis heeft, worden patiënten in de eerste 52 weken niet meer gekeurd, tenzij een patiënt zelf uitdrukkelijk om een second opinion van een GAK-arts vraagt.
Volgens de regeling WULBZ zal de whiplash-patiënt zich ziek moe-

ten melden bij de werkgever. Die is verplicht om een gecertificeerde Arbo-dienst te laten adviseren bij de controle op het ziekteverzuim en de begeleiding van het ziekteproces. De werkgever bepaalt in de eerste 52 weken van het ziekteverzuim in hoeverre de aandoening van de werknemer hem belemmert in zijn werk. Kortom, de baas bepaalt of de patiënt te ziek is om te kunnen werken of niet. De Arbo-dienst geeft daarbij advies, maar dat is niet bindend. Stafverzekeringsarts Nelemans, verantwoordelijk voor de medisch inhoudelijke kant van het GAK Nederland BV te Rotterdam, belicht de situatie.

> De bal wordt nu dus bij de werkgevers neergelegd. Wij krijgen straks alleen nog de patiënten te zien die geen dienstbetrekking hebben, die een second opinion hebben gevraagd of voor wie na een jaar door een van de bij ons aangesloten bedrijfsverenigingen een WAO-uitkering is aangevraagd. De Arbo-diensten nemen de controle op het ziekteverzuim in het eerste jaar van ons over. In de praktijk zal het zo gaan dat als een Arbo-dienst het advies 'arbeidsongeschikt' uitbrengt, dat dan de werkgever verplicht is door te betalen. Je kunt alleen vraagtekens plaatsen bij de onafhankelijkheid van zo'n Arbo-dienst. De bedrijfsvereniging is een onafhankelijk instituut, maar de Arbo-dienst is in feite in dienst van de werkgever. In hoeverre zal de Arbo-dienst dan ook advies uitbrengen dat niet in het belang van de werkgever is? De ziektewet is overigens niet afgeschaft, maar fungeert alleen nog als vangnet voor mensen die geen dienstverband hebben. Als iemand bijvoorbeeld een whiplashtrauma heeft gekregen terwijl hij een jaarcontract heeft en dat wordt vervolgens beëindigd, dan komt hij in de ziektewet terecht. De werkgever draagt dus veel risico, maar heeft ook het heft in handen, omdat hij kan bepalen of je al dan niet moet komen werken. Als de patiënt het niet eens is met de mening van Arbo-dienst en werkgever, dan kan hij bij de bedrijfsvereniging een second opinion aanvragen. Een second opinion-onderzoek is voor rekening van de patiënt zelf en de uitslag is vrijblijvend. Als het GAK de patiënt arbeidsongeschikt vindt en de werkgever is het daarmee niet eens, dan heeft hij toch het laatste woord.
> De werknemer kan vervolgens alleen nog een civiele procedure starten bij de kantonrechter. De rechter zal de werknemer dan verzoeken een deskundigenverklaring te overleggen. Dat is meestal het second opinion-rapport van de bedrijfsvereniging. Als de werknemer een dergelijke verklaring niet heeft, dan zal zijn beroep niet in

behandeling worden genomen. Aan de andere kant zal de kantonrechter het oordeel van de bedrijfsvereniging in de second opinion naar alle waarschijnlijkheid wel volgen. Daardoor wordt het second opinion-onderzoek toch minder vrijblijvend dan het in eerste instantie lijkt. Naar de civiele rechter gaan, brengt echter hoge kosten met zich mee. Als de patiënt zijn gelijk niet haalt, moet hij ook nog proceskosten betalen. Dat is voor veel mensen een te groot risico.

Na de eerste dertien weken van de ziekte van zijn werknemer is de werkgever verplicht een reïntegratieplan op te sturen naar de bedrijfsvereniging. Daarin moet de werkgever aangeven waarom de zieke nog niet terug is op zijn werkplek en wat de eventuele mogelijkheden voor de toekomst zijn. Dat plan wordt bij het GAK en de andere bedrijfsverenigingen getoetst en wanneer de werkgever daar niet zorgvuldig mee is omgesprongen, loopt hij de kans een boete te krijgen van maximaal 10.000 gulden. Levert hij helemaal geen plan in, dan krijgt hij sowieso een boete van minimaal 1000 gulden.

In dat reïntegratieplan moet nauwkeurig worden aangegeven wat de werkgever van plan is met de zieke werknemer. Zo kan iemand die in de haven werkt en daar balen sjouwt, na een whiplash-trauma niet meer terug naar het zware werk. Maar misschien is er in het magazijn nog een plek voor hem. In de dertiende week moet de werkgever in elk geval aangeven dat hij zich bezonnen heeft op de toekomst van zijn werknemer.
Na een jaar kan de werknemer een WAO-uitkering aanvragen. Als een dergelijke aanvraag er ligt, doen de bedrijfsverenigingen de keuring en honoreren al dan niet de aanvraag. Die taak zal wel bij het GAK en de overige bedrijfsverenigingen blijven liggen.
Het GAK heeft nu ook andere taken op het gebied van controle. Zij zullen bijvoorbeeld gaan beoordelen of iemand al dan niet terecht is ontslagen. Het kan namelijk zo zijn dat de werkgever handjeklap doet met de werknemer die ziek is. Met wederzijdse instemming wordt de zieke werknemer ontslagen, waarbij hij de belofte krijgt dat hij terug mag komen als hij beter is. De werknemer krijgt een WW-uitkering en de werkgever hoeft geen loon door te betalen. Wij zullen in de toekomst nagaan of er bij ontslagprocedures sprake is van dit soort onrechtmatige constructies.
Al met al is dit eigenlijk niet zulk goed nieuws voor mensen met een ziektewet-verleden. Je krijgt risico-selectie. Werkgevers zullen geneigd zijn om mensen in dienst te nemen met de minste gezond-

heidsrisico's. De overheid probeert dat weer op te vangen door allerlei subsidies te verstrekken aan werkgevers voor het aannemen van mensen met een gezondheidsrisico.
Daarnaast is er artikel 29b van de ziektewet, dat bepaalt dat een werkgever die iemand in dienst neemt die minstens één jaar in de ziektewet heeft gezeten, in de eerste drie jaar geen ziektekosten hoeft te betalen als de werknemer weer ziek wordt. Dat zal de bedrijfsvereniging doen. Misschien kunnen mensen met een whiplash-trauma dit als een positief argument gebruiken tijdens hun sollicitatiegesprek. In de praktijk zal het toch steeds moeilijker worden om met een ziektewet- of WAO-verleden een werkgever te vinden die bereid is het risico aan te gaan.

Volgens de Bond van Gehandicapten en Arbeidsongeschikten is het voor whiplash-patiënten moeilijk om arbeidsongeschikt te worden verklaard. Er zijn niet veel whiplash-patiënten die voor een hoog percentage afgekeurd zijn. Hoe komt dat?

Er is nogal wat veranderd in de Wet op de arbeidsongeschiktheidsverzekering (WAO). Sinds 1 augustus 1993 is de wet TBA (Terugdringing Beroep op de Arbeidsongeschiktheidsverzekeringen) van kracht. Daarin wordt de WAO aangepakt. Er zijn niet alleen allerlei veranderingen op uitkeringsniveau, ook de manier van beoordelen is herzien. Vroeger stond er in de wet dat je arbeidsongeschikt moest zijn 'ten gevolge van ziekte of gebrek', tegenwoordig staat er dat je arbeidsongeschikt moet zijn als 'rechtstreeks, objectief te meten gevolg van ziekte of gebrek'. Hiermee wordt bedoeld dat men de interpretatie van ziekte en gebrek wil beperken. De artsen moeten hun beoordeling meer motiveren, beargumenteren en inzichtelijk kunnen maken dan vroeger. Dit betekent overigens niet dat er altijd scans of röntgenfoto's als bewijsmateriaal overgelegd moeten worden. Het gaat er meer om dat er na een gedegen probleemanalyse klachten gevonden worden die reproduceerbaar zijn. Met andere woorden: wanneer de ene arts na een onderzoek een oordeel velt, dan zou een andere arts op basis van hetzelfde onderzoek tot hetzelfde oordeel moeten komen. Als iemand een oog kwijt is, dan is er duidelijk een beperking in het functioneren. Maar bij aandoeningen als ME of whiplash-trauma ligt het allemaal wat genuanceerder.
Er is bij mijn weten nog geen wetenschappelijk acceptabel onderzoek, geen eenduidige, objectieve methode waarmee men een

whiplash-trauma aan kan tonen. Maar eigenlijk maakt dat ook niet uit voor een WAO-beoordeling. Het al dan niet hebben van een whiplash-syndroom is niet de maatstaf om te bepalen of je voor een WAO-uitkering in aanmerking komt. Het gaat erom dat je door een aantoonbare, geobjectiveerde afwijking beperkingen hebt waardoor je minder goed functioneert.
De ernst van die beperkingen bepaalt wat iemand nog wel of niet kan doen. Het is niet zo dat alle whiplashes leiden tot een bepaald percentage arbeidsongeschiktheid. In de huidige WAO is je verdienvermogen verzekerd. Een postbode met een geamputeerd been kan niet meer de post bezorgen, maar kan nog wel evenveel blijven verdienen als sorteerder op de postkamer. Dan is hij dus wel invalide, maar tegelijkertijd nul procent arbeidsongeschikt. Het gros van de whiplash-patiënten is na verloop van tijd misschien wat beperkt in zijn mogelijkheden, maar heeft nog wel genoeg capaciteiten om hetzelfde te kunnen blijven verdienen. Daarom lijkt het net alsof whiplash-patiënten vrijwel nooit arbeidsongeschikt worden verklaard. Dat is wel eens moeilijk uit te leggen aan deze groep patiënten, die – misschien omdat ze al zo vaak zijn afgewezen – heel erg gebrand zijn om zwart op wit te hebben dat ze voor een deel arbeidsongeschikt zijn. In de praktijk is het echter wel zo dat de meeste whiplash-patiënten niet of slechts voor een laag percentage arbeidsongeschikt zijn.
En er zit natuurlijk ook kaf onder het koren. Soms is het niet mogelijk de oorzaken van de aandoening te achterhalen. Dan zitten er inconsequenties in het verhaal. Als je na een gedegen probleemanalyse niet kunt opmaken dat iemand beperkingen heeft die een aantoonbaar gevolg zijn van het whiplash-trauma, dan moet je zo iemand ook geen WAO-uitkering toekennen. Dat is controle. Daar zijn wij ook voor. Anders neem je je vak als verzekeringsarts niet serieus.

Als een patiënt het niet eens is met de beoordeling met betrekking tot de WAO-uitkering, dan is er een beroepsprocedure mogelijk. De patiënt kan dan een gemotiveerd klaagschrift sturen naar de arrondissementsrechtbank. Dat kost vijftig gulden aan griffiekosten. De rechtbank start dan een procedure, waarin de mogelijkheid van een medisch onderzoek ligt besloten. De rechter doet uitspraak als hij de zaak van alle kanten heeft bekeken. De enige manier om daar weer tegen te protesteren is in hoger beroep gaan bij de Centrale Raad in Utrecht.

In de privatisering van de ziektewet heeft de werkgever een grote verantwoordelijkheid voor het welzijn van zijn werknemers. Daartegenover staat dat de werkgever ook meer zeggenschap krijgt over de controle van het ziekteverzuim. Hij wordt daarin bijgestaan door een gecertificeerde Arbo-dienst, die aan de strengste eisen moet voldoen. Nelemans: 'Het zal nog wel een tijd duren voordat dit nieuwe systeem goed functioneert. Wij zullen daarom de komende tijd de vinger stevig aan de pols houden.'

De whiplash-patiënt is tijdens het eerste jaar van zijn ziekte afhankelijk van het oordeel van de Arbo-dienst en van zijn werkgever. Daarom is het van het grootste belang dat de werkgever meteen wordt ingelicht over de aard van de aandoening van zijn werknemer, zodra de diagnose whiplash-trauma gesteld is. Als alle partijen op de werkvloer meewerken, zal er een adequate oplossing voor het probleem gevonden kunnen worden en zal de patiënt op korte of langere termijn weer kunnen functioneren binnen het bedrijf.

9 *Het sociale leven*

De invloed van een whiplash-trauma op het dagelijks leven

Iedereen heeft een sociale kring. Die bestaat uit het gezin, de familie, de collega's, vrienden en bekenden, medescholieren, leden van de sport- of hobbyclub et cetera. Al die relaties hebben in de loop der tijd een bepaald stramien gekregen waarbinnen iedereen zijn taken heeft, zowel op praktisch als op emotioneel gebied.
Als iemand voor langere tijd ziek is, vergroot dit onmiddellijk de spanning binnen die relaties. Een whiplash-patiënt is niet alleen beperkt in het uitvoeren van een aantal praktische zaken, maar is door zijn ziekte ook veel minder goed in staat anderen aandacht te geven. Integendeel, de zieke zal juist extra aandacht van zijn omgeving nodig hebben.
In de eerste weken van de ziekte zijn de betrokken omstanders meestal wel bereid om in te springen en medeleven te tonen, maar wanneer de weken zich aan elkaar rijgen tot maanden kunnen er irritaties ontstaan. Dan zullen er structurele oplossingen moeten worden gevonden om zowel de naaste omgeving als de patiënt zelf te ontlasten. Vooral whiplash-patiënten die zich ervan bewust zijn dat het dagelijkse (gezins)leven ontwricht raakt omdat zij niet functioneren, ontwikkelen al snel een schuldgevoel. Daardoor is het voor hen moeilijk om rustig te revalideren.
Veel patiënten kunnen de druk van buitenaf niet aan en keren te snel terug naar hun dagelijkse taken. Het is aan de verzorgers om hen daarvan af te houden. Uiteindelijk zullen de meeste whiplashpatiënten weer opknappen en in staat zijn hun oude leven voor een groot deel weer op te pakken, ook al duurt dit misschien jaren. Dat vooruitzicht zal de patiënt en zijn omgeving voor ogen moeten houden tijdens de moeilijke ziekteperiode.
Mariska van Henegouwen (36), huisvrouw, vertelt over de veranderingen die zij en haar gezin doormaakten als gevolg van haar whiplash-trauma.

Ik was altijd de spil van het gezin. Mijn man maakte lange dagen en daardoor kwam de zorg voor de kinderen bijna helemaal voor mijn rekening. Pas toen ik eigenlijk niets meer kon doen, besefte ik hoeveel taken in en om het huis ik had. Ontbijt maken, wassen, kinderen naar school brengen, financiële administratie bijhouden, de hond verzorgen, boodschappen doen, koken en ga zo maar door. En dat zijn alleen nog maar de praktische zaken. Ik was toen ook een echte 'thee-moeder'. Na school konden de kinderen met hun verhalen bij mij terecht en er mochten ook altijd vriendjes en vriendinnetjes komen spelen. 's Avonds hielp ik ze met hun huiswerk en in het weekend bracht ik hen naar de diverse sportclubs. Naast dat drukke gezin had ik ook nog mijn eigen interesses, ik was actief lid van een leesclubje en ging ook regelmatig met vriendinnen op stap. Van de ene op de andere dag kon ik niets meer. Vier dagen na dat stomme auto-ongeluk – ik gaf voorrang en werd van achteren aangereden door iemand die zo zat te suffen dat hij niet zag dat ik stopte – was ik volledig uitgeteld. Ik lag knock-out op bed. En daardoor was ook het leven van ons hele gezin ontregeld. Aanvankelijk werden we van alle kanten geholpen. De buurvrouw bracht pannetjes eten, een vriendin kwam schoonmaken en mijn moeder haalde de kinderen van school. Mijn man nam af en toe een snipperdag als er wat grotere klussen geklaard moesten worden of als hij moest meehelpen op de school van de kinderen. Maar na verloop van tijd werd duidelijk dat een whiplash-syndroom niet te vergelijken is met een simpel griepje. Na drie maanden kon ik nog steeds niet veel meer dan dagelijks koken, één wasje draaien en koffie zetten. Daarna was ik bekaf.
Toen het duidelijk werd dat dit een langdurige geschiedenis zou worden, brak er paniek uit. Mijn man was bijna door zijn vrije dagen heen en ook mijn moeder kon niet constant paraat staan. Een aantal praktische problemen konden we wel oplossen: we kochten een afwasmachine, we haalden een betaalde schoonmaakkracht in huis en mijn kinderen gingen voortaan met de bus naar school. Maar dat ma te moe was om allerlei leuke dingen met hen te ondernemen, te luisteren naar hun enthousiaste verhalen of om hun drukke vriendjes te ontvangen, dat vonden de kinderen steeds erger. Ook als echtgenote stelde ik mijn man steeds teleur. Ik schitterde door afwezigheid op alle bedrijfsfeestjes en zakendineetjes en in bed was mijn belangstelling beneden vriespunt. Ik had niets meer te geven. Ik nam alleen maar. Zo voelde dat echt. Ik merkte dat de spanning alsmaar hoger opliep.

Mijn man en kinderen vonden eigenlijk dat het mijn taak was om het huishouden te doen. Dat was zo afgesproken en daar was het hele gezin op ingesteld. En hoewel ze ook wel wisten dat ik er helemaal niets aan kon doen dat ik ziek was, namen ze het me diep in hun hart toch kwalijk. Een aantal vriendinnen die in het begin nog iedere twee weken even belden of op bezoek kwamen, lieten het na een half jaar afweten. Steeds maar weer horen dat het niet beter gaat met iemand is natuurlijk ook heel erg vervelend. Je gaat liever gezellig samen naar de stad, in plaats van naar dat gezeur te moeten luisteren. Na verloop van tijd voelde ik me totaal waardeloos. Ik was voor niemand meer nuttig of interessant. Met mij gingen de mensen alleen nog om uit een soort plichtsbesef. Ik heb mezelf toen gedwongen om, ondanks de onvermijdelijke pijn en vermoeidheid achteraf, af en toe bezoek te ontvangen en iets te ondernemen. Eén keer in de week gingen we een uitstapje maken met de kinderen en de dag daarna rustte ik daarvan uit. De kinderen mochten op woensdagmiddag vriendjes te spelen vragen en dan ging ik 's avonds om half acht naar bed. Af en toe ging ik een half uur wandelen met een vriendin en dan dronken we daarna nog een kopje koffie om bij te komen.
Door de inspanningen consequent af te wisselen met heel veel rust verbeterde mijn conditie. Iedereen bemerkte vooruitgang en dat gaf een enorme positieve impuls. Ik zal me nog steeds niet op zaterdagmiddag tussen het winkelende publiek begeven of op zondag naar een dierentuin gaan, maar ik ben inmiddels wel weer een leukere moeder, echtgenote en vriendin dan ik een jaar geleden was. Mijn huwelijk heeft gelukkig standgehouden, daarvoor ben ik mijn man heel dankbaar. Ik besef heel goed dat het een enorme opgave voor hem moet zijn geweest, want hij had tegelijkertijd èn een drukke baan èn de zorg voor vrouw en kinderen. Een paar kennissen zijn uiteindelijk afgevallen, maar sommige relaties hebben zich juist verdiept. Je leert de mensen in je omgeving wel heel goed kennen tijdens zo'n ziekteperiode.

De houding van de directe omgeving

Omgaan met ziekte zit niet in het lespakket van de lagere school. Het is moeilijk om een goede houding te vinden tegenover langdurig zieke patiënten. Een chronisch whiplash-syndroom kan jaren duren en dat legt een grote druk op het sociale leven. Iedereen

moet rekening houden met de patiënt: hij moet ontzien worden omdat hij overal snel moe van wordt, hij kan zijn sociale contacten niet onderhouden omdat hij niet meer tegen drukte kan, hij moet met veel aandacht en liefde bejegend worden omdat hij depressief wordt van zijn handicap en ga zo maar door.
Zowel de praktische als de emotionele situatie van de patiënt is behoorlijk veranderd en de ziekteperiode kan lange tijd gaan duren. Het liefst ziet een whiplash-patiënt zijn naasten geduldig, ondersteunend en behulpzaam. Dat is soms te veel gevraagd van de verzorgers, want niet iedereen is een geboren Florence Nightingale. Het feit dat het niet duidelijk is hoe lang de aandoening zal aanhouden, maakt het de verzorgers niet gemakkelijker. Als men weet dat het probleem na drie maanden is opgelost, dan is er een datum om naartoe te leven. De conditie van een whiplash-patiënt kan echter per dag verschillen en kan ook na een lange opgaande lijn weer plotseling slechter worden.
Bij langdurige ziekte moeten er in de eerste plaats maatregelen genomen worden om de praktische zaken, zoals hulp in de huishouding, kinderopvang, vervoer naar de medische behandelingen enzovoort, te regelen. Eigenlijk zou hulpverlening binnen de sociale en psychische situatie ook aan te bevelen zijn. Niet alleen de patiënt zelf heeft een goede coach nodig, ook voor de gezinsleden kan het geen kwaad als ze af en toe hun hart kunnen luchten of advies kunnen vragen bij een deskundige.

Informatie

Het is van belang dat alle betrokkenen op de hoogte zijn van het effect dat een whiplash-trauma op mensen kan hebben. Daarom is het zinvol als de whiplash-patiënt zijn naasten meeneemt naar de gesprekken en onderzoeken tijdens het behandeltraject. Huisartsen, specialisten, psychologen of sociaal werkers moeten de naaste omgeving van een whiplash-patiënt zo goed mogelijk voorlichten. Als de omgeving adequaat geïnformeerd wordt over de gevolgen van de aandoening en welk effect die kunnen hebben op het gedrag van de whiplash-patiënt, dan heeft men ook meer inzicht in de houding die men kan aannemen.
Hoe men met de zieke omgaat is natuurlijk ook afhankelijk van het karakter van de patiënt. Als het een persoon is die zijn beperkingen niet als zodanig accepteert, dan is het verstandig om die whiplash-patiënt enigszins af te remmen in zijn activiteiten. Een patiënt die verdrinkt in zelfmedelijden en alleen nog maar als een zielig hoopje

op de bank zit, heeft er daarentegen weer baat bij om op een positieve manier gestimuleerd te worden.

Richtlijnen

Hier volgen een aantal algemene richtlijnen voor het omgaan met een whiplash-patiënt.

- Neem de klachten van de whiplash-patiënt serieus. Dat iemand draaierig wordt in een supermarkt of doodmoe van een kwartier telefoneren, is soms onbegrijpelijk. Omdat er aan de buitenkant van de patiënt nauwelijks iets van de ziekte is af te lezen, kan hij alleen mondeling kenbaar maken wat er mis is. Als hij daarbij niet geloofd wordt, is dat bijzonder frustrerend.
- Weerhoud de patiënt van vermoeiende activiteiten. Neem hem niet mee naar drukke plaatsen, zorg dat bezoeken niet te lang duren en ontlast hem van een aantal (huishoudelijke) taken.
- Laat de whiplash-patiënt geen dingen doen, waarvan hij zelf aangeeft dat hij ze niet aankan. Sommige bewegingen en activiteiten, hoe simpel en gemakkelijk ze ook lijken, zijn voor een whiplash-patiënt bijzonder moeilijk. Voorbeelden daarvan zijn een zware boodschappentas dragen, een deksel van een pot opendraaien, iets boven uit een kast pakken of een nieuwe tl-buis indraaien.
- Let op kleine aanwijzingen die duiden op klachten bij de patiënt, zoals wit worden rond de ogen, zweten, wankelen, concentratieverlies en ongecoördineerde bewegingen. Het is een teken aan de wand dat de patiënt moet rusten, ook al geeft hij dat zelf niet aan. Soms moeten whiplash-patiënten tegen zichzelf in bescherming worden genomen.
- Bied een luisterend oor. De patiënt krijgt, meestal buiten zijn eigen schuld, te maken met pijn en allerlei beperkingen op zowel cognitief als lichamelijk gebied. Dat is een behoorlijke aanslag op de kwaliteit van zijn leven. Het is logisch dat hij deze veranderingen in zijn leven moet verwerken en daar ook met anderen over wil praten.
- Probeer de patiënt op te beuren en de ziekte van de positieve kant te benaderen. Dit kan door samen met de patiënt te kijken naar wat hij nog wel kan en dit samen verder uit te bouwen.
- Haal zoveel mogelijk druk van de patiënt af door bijvoorbeeld alle praktische zaken goed te regelen. Hoe minder zorgen de patiënt zich maakt over de dingen die kunnen mislopen door zijn ziekte, hoe sneller hij zal genezen. Vaak gaan patiënten uit

schuldgevoel te snel weer aan het werk. Dit resulteert geregeld in een ernstige terugval, die ook de omgeving van de patiënt niet ten goede komt.

Van niemand kan verwacht worden dat hij de perfecte verzorger en begeleider is. Zich steeds maar aan een zieke moeten aanpassen is heel erg zwaar. Het hele gezinsleven staat dan in het teken van het whiplash-trauma. Het ongeluk heeft in feite meerdere slachtoffers gemaakt. Alleen hechte relaties overleven zo'n langdurige beproeving zonder kleerscheuren.

Het belang van praten met lotgenoten

Niemand begrijpt een whiplash-patiënt beter dan een lotgenoot die tegen precies dezelfde problemen oploopt. De lichamelijke beperkingen, het onbegrip van de buitenwereld, de pijn en de vermoeidheid, het zijn allemaal onderwerpen die gemakkelijk bespreekbaar zijn met een medepatiënt. Vanuit de behoefte om met lotgenoten te praten werd in 1989 een oproepje geplaatst in het huis-aan-huisblad *Welzijn*; men zocht whiplash-patiënten om een telefooncirkel te starten. Op dat stukje reageerden zoveel mensen dat er uiteindelijk maar besloten werd een stichting op te richten voor whiplash-patiënten. Die stichting stelde zich ten doel lotgenoten met elkaar in contact te brengen onder deskundige begeleiding, de aandoening landelijke bekendheid te geven met doelgerichte voorlichting en een soort nationaal contactpunt te zijn voor alle personen en instanties die zich met de whiplash-problematiek bezighouden. De Nederlandse Stichting Whiplash Patiënten (NSWP) heeft inmiddels ruim vijfduizend donateurs, en is de afgelopen jaren geprofessionaliseerd tot een volwaardig instituut dat wordt ondersteund door een medisch wetenschappelijke raad.
De NSWP biedt vooral een luisterend oor. In het hele land heeft de stichting contactpersonen, meestal whiplash-patiënten, die op bepaalde tijden gebeld kunnen worden. Daar kunnen whiplash-patiënten terecht als ze even wat ondersteuning nodig hebben of als ze vragen hebben over behandelmethoden, juridische bijstand of uitkeringen. De contactpersoon van de NSWP wordt voor deze vrijwilligersfunctie opgeleid en begeleid door ervaren hulpverleners. Zij kunnen de patiënt niet alleen een hart onder de riem steken, maar ook de weg wijzen naar het juiste circuit van behande-

NSWP

Logo van de Nederlandse Stichting Whiplash Patiënten

laars en hulpverlenende instanties. Een van de vele vrijwilligers van de NSWP, mevrouw Hoogstraaten, zegt hierover:

> Je kunt een whiplash-patiënt die zichzelf aanbiedt als contactpersoon niet zomaar achter een telefoon zetten. De contactpersonen moeten in de eerste plaats de gevolgen van hun eigen whiplash-trauma al verwerkt hebben, voordat ze in staat zijn om andere mensen te helpen. Daarom lopen ze als aspirant-contactpersoon eerst een jaar mee met een ervaren contactpersoon, zodat ze met alle aspecten van de whiplash-problematiek kennis kunnen maken. Na dat jaar kunnen ze beslissen of ze contactpersoon willen zijn èn of ze het aankunnen. Een contactpersoon moet niet alleen de patiënten van informatie kunnen voorzien, maar ook in staat zijn ze te troosten, te activeren en weer op te beuren. Wat doe je als iemand uitbarst in een verschrikkelijke huilbui? Hoe leid je een groepsgesprek waar iedereen tegelijkertijd aandacht wil voor zijn verhaal? Dat is niet iedereen zomaar gegeven. Daarvoor moet je aardig wat mensenkennis bezitten en een heleboel geduld, tact en incasseringsvermogen. Sommige whiplash-patiënten raken gedurende hun ziekteperiode de pijlers onder hun bestaan kwijt. Ze gaan scheiden, verliezen hun werkkring en zijn uiteindelijk sociaal geïsoleerd. Vaak is de contactpersoon dan nog de enige met wie ze goed kunnen praten. Soms worden de NSWP-hulpverleners midden in de nacht opgebeld door whiplash-patiënten die angstaanvallen hebben, niet kunnen slapen of zich eenzaam voelen. Vooral tijdens de feestdagen lijkt het alsof de klachten zich verergeren. Het helpt

dan wel dat je zelf whiplash-patiënt bent en je je kunt verplaatsen in de problematiek van de ander. Anders zou misschien allang de stekker eruit getrokken zijn. De contactpersonen houden het vol omdat ze het noodzakelijk vinden deze mensen te helpen en omdat het gelukkig ook heel dankbaar werk is. Als iemand aan het eind van het gesprek zegt zich alweer een stuk beter te voelen, dan is dat toch weer een kleine overwinning. Whiplash-patiënten hebben vooral behoefte aan begrip, aan bevestiging van hun klachten en aan iemand tegen wie ze even mogen zeuren. Daarom worden ook kleinere bijeenkomsten georganiseerd waar whiplash-patiënten met elkaar kunnen praten, elkaar tips kunnen geven over hoe ze hun klachten kunnen verminderen, maar vooral om ook te laten zien dat je als whiplash-patiënt niet alleen staat. Bovendien kan door die bijeenkomsten een aantal mensen uit het 'medical shopping'-circuit gehouden worden. Als de patiënten van anderen horen wat wel of niet helpt, kunnen ze een veel duidelijker plan trekken en hoeven ze zelf niet aan te modderen. Om de bestuursleden en contactpersonen zo goed mogelijk te informeren beschikt de NSWP over een uitgebreid netwerk van deskundigen. Eigenlijk zouden de contactpersonen halve artsen, halve juristen en halve arbeidsdeskundigen moeten zijn, en dat is natuurlijk onmogelijk. Vandaar dat patiënten dan kunnen terugvallen op deze netwerken en ze ook naar de juiste mensen kunnen worden verwezen.

Naast de persoonlijke hulpverlening aan de patiënten zelf doet de NSWP landelijk gezien ook heel veel voor de whiplash-patiënten als groepering. De NSWP stimuleert wetenschappelijk onderzoek en onderhoudt contacten met veel instanties, zoals de ministeries van VWS en Verkeer en Waterstaat, de ANWB, Veilig Verkeer Nederland, de Ombudsman, de Raad voor de Verkeersveiligheid en de Landelijke Organisatie Slachtofferhulp. Uit die intensieve contacten zijn inmiddels projecten voortgekomen, waarvan de preventieve actie 'Voorkom nekletsel' het bekendste voorbeeld is. Voorlichting geven over het whiplash-trauma is een speerpunt voor het bestuur van de NSWP. Zij doet dit onder andere door het uitgeven van brochures, nieuwsbrieven, congresbundels en informatiebladen. Ook de andere media worden gebruikt; zo is er onder andere een zelfgemaakte documentaire beschikbaar die allerlei instanties bij hun voorlichting kunnen gebruiken en geven bestuursleden veel interviews in de gedrukte pers en op radio en tv.
Jaarlijks wordt er een congres georganiseerd waarin telkens een

speciaal thema wordt behandeld. Dan houden allerlei experts een lezing over het onderwerp en kunnen patiënten vragen stellen. Deze congressen blijken, gezien de uitverkochte zalen in de Jaarbeurshallen in Utrecht, in een grote behoefte te voorzien. Daarnaast geven vrijwilligers van de NSWP lezingen over het onderwerp aan allerlei organisaties en bedrijven. Mevrouw Hoogstraaten:

> De NSWP bestaat nu al geruime tijd en is in Nederland al heel ver gekomen. Zowel de medische sector als de pers weet de stichting te vinden voor informatie. De NSWP heeft het whiplash-trauma letterlijk uit het slop getrokken. Er wordt nu veel meer onderzoek gedaan dan enkele jaren geleden, en ook de term 'whiplash' klinkt nu veel meer mensen bekend in de oren. In een aantal omringende landen is men ook bezig met het opzetten van organisaties om de belangen van de whiplash-patiënten te behartigen. De NSWP helpt daarbij en streeft naar een internationaal congres over whiplash. Het is belangrijk dat onderzoekers en behandelaars zoveel mogelijk informatie uitwisselen. Een van de manieren waarop dat zou kunnen is met een speciale ruimte op het wereldwijde Internetsysteem. Het onderzoek naar het zo moeilijk aan te tonen whiplash-trauma zal door de NSWP zoveel mogelijk ondersteund worden. Daarom is er een 'Nationaal Whiplash Fonds, voor onderzoek en preventie', in het leven geroepen (Giro 2223, Maarssen).
> Zo worden alle middelen benut om uiteindelijk meer begrip en erkenning voor het whiplash-syndroom te krijgen. Dat komt niet alleen ten goede van de patiënten zelf. Ook de partners of andere naasten die het leeuwedeel van de verzorging en begeleiding van whiplash-patiënten voor hun rekening nemen, hebben ondersteuning nodig. Dat zijn eigenlijk ook slachtoffers, misschien hebben zij er nog wel meer last van dan de patiënt zelf. De partner kan, in tegenstelling tot de patiënt die bij de arts of patiëntenvereniging wordt opgevangen, nergens met zijn problemen terecht. Hij weet zich vaak geen raad, omdat het ziekteverloop dat bij een whiplash-trauma hoort vaak zo grillig is en omdat de patiënt vaak aan stemmingswisselingen onderhevig is. Daarom vindt de NSWP het belangrijk ook bijeenkomsten en andere activiteiten voor partners van whiplash-patiënten te organiseren. Op die bijeenkomsten kunnen zij van anderen horen hoe zij de praktische zaken rondom het ziek-zijn van hun partner hebben aangepakt, maar ook hoe zij de verandering in de relatie geestelijk hebben verwerkt.
> De NSWP is ervan overtuigd dat hun donateurs veel steun hebben aan de activiteiten die worden ontplooid.

10 Conclusie

In dit boek is een overzicht gegeven van de aandoening die in de volksmond voornamelijk bekend staat onder de naam whiplash ofwel zweepslag. Het is een ziektebeeld dat typisch is voor de twintigste eeuw, het tijdperk waarin de massa zich gemotoriseerd is gaan voortbewegen; de eeuw van het gestaag groeiende autopark. Hoe drukker het op de weg wordt, hoe meer kans de weggebruikers hebben op een whiplash-trauma. Nu vooral de laatste tien jaar het aantal auto's explosief is gestegen, begint ook het whiplash-trauma steeds vaker de kop op te steken. Volgens de berichten in de media neemt het zelfs epidemische vormen aan. Dagelijks zijn er tientallen kop-staartbotsingen, vooral in de verstedelijkte gebieden. Hoe gering de snelheid van de achterop botsende auto ook is, de kans op een langdurige aandoening blijft bij elke aanrijding aanwezig. Elke dag komen er nieuwe whiplash-patiënten bij.

Preventie

Een probleem van het whiplash-trauma is dat men er zich niet tegen kan wapenen. Wie jarenlang drie keer per week sport, gezond eet en voldoende rust neemt kan net zo goed whiplash-patiënt worden als iemand die er een ongezonde levensstijl op nahoudt en zijn lichaam elke dag uitbuit. Een goede lichamelijke conditie kan echter wel een positieve invloed hebbben op de gevolgen van een whiplash-trauma, omdat het lichaam meer weerstand heeft en dus eerder herstelt.
Aangezien het merendeel van de whiplash-patiënten het slachtoffer is geworden van een verkeersongeluk, ligt het voor de hand dat preventieve maatregelen vooral gezocht moeten worden in de verkeersveiligheid. Ongelukken kunnen alleen maar worden voorkomen doordat verkeersdeelnemers geconcentreerder gaan rijden en beter op de andere automobilisten letten. Door meer afstand te

houden en de snelheid altijd aan te passen aan de verkeerssituatie kan veel onheil voorkomen worden. Fouten maken is helaas een menselijke trek en daarom kan de automobilist zichzelf maar beter wapenen tegen de onoplettendheid van anderen.
Op de eerste plaats door in een zo veilig mogelijke auto te gaan rijden. In auto's van een iets groter formaat, met grote bumpers, zijbalken, kreukelzones en een kooiconstructie is de kans dat de gevolgen van een whiplash beperkt blijven groter, dan in een klein 'boodschappenwagentje' zonder extra versteviging. Daarnaast kan het verschuiven van de nekwervels als gevolg van de botsing ook tegengegaan worden door goed afgestelde hoofdsteunen.
Als de bestuurder van de auto in zijn achteruitkijkspiegel het ongeluk aan ziet komen, kan hij zich schrap zetten met zijn handen op het stuur en zijn hoofd gedrukt houden tegen de hoofdsteun. In die houding is de kans op een whiplash-trauma het geringst. Het is voor automobilisten in drukke, verstedelijkte gebieden raadzaam om extra vaak het verkeer achter hen te controleren in de achteruitkijkspiegel.

Persoonlijke en maatschappelijke gevolgen

Dat het whiplash-trauma zo veel aandacht in de media krijgt, is heel terecht. Het is in de loop der jaren een groot probleem geworden zowel op het persoonlijke vlak, als ook op algemeen economisch gebied.

Persoonlijke gevolgen
Het aantal chronische whiplash-patiënten dat hun hele leven beperkingen blijft ondervinden als gevolg van de whiplash blijft groeien en daarmee ook de persoonlijke tragedies. Veel patiënten verliezen op den duur hun baan, en daarmee niet alleen hun inkomen maar ook de sociale contacten die daarbij horen. De relatie komt door deze omstandigheden onder spanning te staan en niet zelden resulteert dit in een echtscheiding. Wie eenmaal in zo'n neerwaartse spiraal verkeert, is geneigd zich terug te trekken en zijn sociale contacten te verwaarlozen. Allemaal gevolgen van een kort moment van onachtzaamheid. Zo kan een lichte botsing een gevaarlijke nekslag worden. Het eventuele smartegeld is slechts een kleine pleister op de wonde, de persoonlijke verliezen van de chronische whiplash-patiënt zijn door geld niet goed te maken.

Maatschappelijke gevolgen
Maar ook gezonde mensen voelen de gevolgen van een whiplash. Vooral in hun portemonnee. Het uitvallen van werknemers als gevolg van een whiplash-trauma kost miljoenen guldens aan WAO-uitkeringen. De ziekenfondsen zijn een groot deel van hun budget kwijt aan de langdurige behandelingen van chronische whiplash-patiënten en ook de verzekeringsmaatschappijen betalen hoge bedragen aan schadevergoedingen. Daarvoor krijgt iedereen de rekening gepresenteerd. Zo zijn de premies van de Wettelijke Aansprakelijkheidsverzekering Motorrijtuigen (WAM) de afgelopen jaren al gestegen vanwege de hoge kosten die door de whiplash-problematiek veroorzaakt worden.
Zowel het persoonlijke leed dat de gevolgen van een whiplash-trauma met zich mee brengen als ook de enorme bedragen die uitgegeven worden om de slachtoffers te behandelen en schadeloos te stellen, geven aan dat verder onderzoek naar de precieze aard van de beschadigingen die kunnen optreden als gevolg van een whiplash noodzakelijk is. Binnen het whiplash-onderzoek zijn de symptomen die bij de aandoening horen het meest intensief onderzocht. Doordat de groep van patiënten groeit, heeft de medische wetenschap meer vergelijkingsmateriaal en krijgt men ook meer inzicht in het klachtenpatroon. Hoe dit klachtenpatroon tot stand komt en op welke wijze men de symptomen het best kan behandelen, is nog een tamelijk onontgonnen gebied.

Het leven van een chronische patiënt

Het woord genezen komt in dit boek nauwelijks voor. De gevolgen van een whiplash-trauma verdwijnen na een aantal weken of ze verdwijnen niet. Bij chronische patiënten is het hoogstens zo dat hun beperkingen door een aangepaste levensstijl zover vervagen dat ze denken dat ze weer helemaal gezond zijn. Dat is niet zo. Iemand die meer dan anderhalf jaar ernstige pijn- en vermoeidheidsklachten heeft als gevolg van een whiplash-trauma, zal zijn hele leven lang in bepaalde mate beperkingen blijven houden. Dat wil echter niet zeggen dat deze mensen niet een prettig en langdurig leven kunnen leiden. Misschien zullen ze minder hooi op hun vork moeten nemen, iets meer afhankelijk zijn van anderen en vaker moeten rusten dan voorheen, maar dat kan op den duur ook positief zijn voor hun gezondheid. Wie zich bewust is van de gren-

zen aan zijn energie, is minder geneigd om maar door te blijven hollen in de prestatiemaatschappij en dat kan weer hartkwalen, maagzweren en overspanningsverschijnselen voorkomen.
De whiplash-patiënt die ondanks zijn beperkingen toch zijn oude, hectische levensstijl weer oppakt, loopt kans dit te moeten bezuren met een terugval. Het whiplash-trauma heeft een verraderlijk ziektebeeld. Op sommige dagen lijkt alles weer als vanouds: de energie is terug, de pijn verdwenen. De whiplash-patiënt merkt echter pas dat hij te ver is gegaan als het al te laat is. Het lichaam van de patiënt is als een versleten elastiek: nog wel bruikbaar, maar de rek is eruit. Zodra er te veel spanning op wordt gezet, knapt het. De extra reserve waardoor de meeste mensen na het werk nog een avond kunnen gaan stappen, studeren of uitgebreid ravotten met de kinderen, ontbreekt. De chronische whiplash-patiënt heeft een afgebakende hoeveelheid energie en is daardoor gedwongen om zijn leven lang, elke dag keuzes te maken.

Erkenning en begrip

Het meest werkzame medicijn dat de omgeving van de patiënt hem kan toedienen heet 'begrip'. Door alle aandacht die de ziekte in de media heeft gekregen, is dit medicijn tegenwoordig beter verkrijgbaar dan twintig jaar geleden. Toen waren de whiplash-patiënten vooral neuroten en aanstellers, die geen aantoonbare kwetsuren hadden en dus in de ogen van de medici niet ziek waren. Nu weet men door toepassing van veel fijnere scan-methoden, dat de klachten een lichamelijke oorzaak hebben. De aandoening brengt echter ook vaak psychische stoornissen met zich mee, die enerzijds direct verband houden met de lichamelijke gevolgen van het whiplash-trauma en anderzijds een consequentie kunnen zijn van de plotselinge invaliditeit bij de patiënt. Voor patiënten is het heel belangrijk dat hun klachten een medische benaming hebben, dat het ziektebeeld als een serieuze aandoening erkend wordt en dat er patiëntenverenigingen zijn waar men lotgenoten kan treffen. Ziek zijn is al een moeilijke en eenzame strijd. Als men ook nog strijd moet leveren om als zieke erkend en geholpen te worden, blijft er weinig energie meer over voor herstel.
Als de buitenwereld de ziekte heeft erkend, volgt de meest belangrijke stap in het herstelproces: aanvaarding van de nieuwe situatie door de patiënt en zijn omgeving. De whiplash-patiënt moet de

kans krijgen om ziek te zijn. Hij moet rustig aan zijn herstel bouwen zonder opgejaagd te worden door schuldgevoel. Dat betekent dat zijn omgeving veel geduld en zorgzaamheid op zal moeten brengen, wat geen geringe opgave is.

Informatie

Het helpt als de mensen rondom de patiënt voldoende informatie hebben zodat ze weten welke klachten hij kan hebben en hoe zijn gedrag kan veranderen. Doordat ze weten wat er aan de hand is, zijn ze minder gauw geïrriteerd en kunnen misschien meer begrip opbrengen voor de patiënt.

Ook de patiënt zelf is erbij gebaat zoveel mogelijk van de aandoening af te weten. Aangezien er nog geen algemeen middel bestaat tegen whiplash-trauma, zal het herstel voornamelijk afhankelijk zijn van de manier waarop de patiënt met zijn beperkingen omgaat. Hij zal moeten leren luisteren naar zijn lichaam, de grenzen van zijn energie ontdekken en zijn levensritme daaraan aanpassen. De patiënt moet leren leven met een whiplash-trauma, niet ertegen vechten. Dat het levenstempo omlaag gaat, hoeft nog niet in te houden dat de kwaliteit ervan minder is.

Het whiplash-trauma is geen fatale aandoening, het merendeel van de patiënten heeft na enkele weken geen klachten meer. Bij de meeste chronische patiënten vervaagt de ziekte na verloop van tijd tot een zeer aanvaardbaar niveau. Door zich goed aan de nieuwe leefregels te houden kunnen ook chronische whiplash-patiënten nog lang en gelukkig leven.

Begrippenlijst

AAW
Algemene arbeidsongeschiktheidswet. Zie hoofdstuk 8.

Acupressuur
Behandelmethode waarbij door middel van het uitoefenen van druk op specifieke delen van het lichaam de energiebanen worden hersteld. Acupressuur wordt niet gerekend tot de reguliere geneeskunde. Zie hoofdstuk 5.

Acupunctuur
Behandelmethode waarbij door middel van het aanbrengen van naalden op specifieke plekken de energiebanen in het lichaam worden hersteld. Acupunctuur wordt niet gerekend tot de reguliere geneeskunde. Zie hoofdstuk 5.

Acute fase
Eerste weken na het ongeval.

Affectief
Betrekking hebbend op het gevoelsleven.

Alternatieve geneeswijzen
Geneeswijzen die buiten de reguliere geneeskunde vallen. Bekende voorbeelden zijn homeopathie en acupunctuur.

Anamnese
De voorgeschiedenis van de patiënt, dat wil zeggen het totaal aan gegevens dat hij zich in een vraaggesprek met de arts over zijn klachten en algemene toestand kan herinneren. Zie hoofdstuk 5.

Arbo-dienst
Orgaan dat toeziet op correcte uitvoering en naleving van de Arbo-wet. Zie hoofdstuk 8.

Arbo-wet
Wet op de arbeidsomstandigheden. Zie hoofdstuk 8.

Assertiviteit
Het vermogen om voor zichzelf op te komen.

AVO
Instelling die zich bezighoudt met de integratie van gehandicapten in de samenleving. Zie hoofdstuk 7 en de adressenlijst.

AWBZ
Algemene Wet Bijzondere Ziektekosten.

Bach-bloesemtherapie
Therapie gebaseerd op de genezende werking van bloemen. Bachbloesemtherapie wordt niet gerekend tot de reguliere geneeskunde. Zie hoofdstuk 5.

Bottenkraker
Populaire benaming voor de chiropractor of manueel therapeut. Zie hoofdstuk 5.

Cervico-cefaal syndroom
Medische benaming voor de whiplash. Zie hoofdstuk 1.

Cervicaal zweepslagsyndroom
Medische benaming voor de whiplash. Zie hoofdstuk 1.

Cervix
Algemene Latijnse benaming voor hals.

Cesar
Houdings- en bewegingstherapie. Zie hoofdstuk 5.

Chiropractie
Behandelwijze waarbij ernaar gestreefd wordt gewrichten in hun oorspronkelijke stand terug te brengen waardoor normaal functioneren weer mogelijk wordt. Zie hoofdstuk 4 en 5.

Chronisch
Aanduiding voor ziekten van langdurige of blijvende aard.

Cognitief
Betrekking hebbend op het tot zich nemen en verwerken van informatie.

Comateus
Buiten bewustzijn.

Coördinatie
Het vermogen om verschillende activiteiten, bijvoorbeeld waarneming en beweging tegelijkertijd te verrichten.

DETAM
Bedrijfsvereniging voor detailhandel, ambachten en huisvrouwen. Zie hoofdstuk 8.

EHBO
Afdeling waar eerste hulp bij ongelukken wordt verleend.

Elektro-acupunctuur
Specifieke vorm van acupunctuur waarbij lichte schokjes worden toegdiend om het effect van de behandeling te vergroten. Zie hoofdstuk 5.

Elektro-encefalogram
Het meten van hersenactiviteit met behulp van elektroden. Signalen in de hersenen worden geregistreerd, waardoor eventuele afwijkingen kunnen worden geconstateerd. Doorgaans wordt hiervoor de afkorting EEG gebruikt. Zie hoofdstuk 3.

Ergotherapie
Revalidatietherapie waarbij patiënten oefeningen doen door specifieke activiteiten, waardoor het weer mogelijk wordt deel te nemen aan het dagelijks leven. Zie hoofdstuk 5.

Evenwichtsorgaan
Tweedelig orgaantje in het binnenoor. Dit orgaan zorgt voor de coördinatie tussen waarneming en beweging. Zie hoofdstuk 3.

Evenwichtsstelsel
Systeem waardoor mensen in staat zijn hun bewegingen en waarnemingen automatisch en gelijktijdig uit te voeren, zonder gedesoriënteerd of uit balans te raken. Zie hoofdstuk 3.

Fobie
Onberedeneerde, vaak hevige angst.

Fronto-temporale zones
Gedeelten van de hersenen waarin zich de functies bevinden die te maken hebben met concentratie, aandacht en geheugen.

Fysiotherapie
Therapie voor afwijkingen als gevolg van storingen of beschadigingen in het zenuw-, beender- en vaatstelsel en aan de spieren. Hiertoe wordt onder andere gebruik gemaakt van massage, heilgymnastiek, elektro-, hydro- en warmtebehandeling. Zie hoofdstuk 4 en 5.

GAK Nederland BV
Gemeenschappelijk Administratiekantoor. Zie hoofdstuk 8.

Hallucinatie
Waanbeeld. Zie hoofdstuk 6.

Homeopathie
In principe is de homeopathie een geneeswijze die ziekte bestrijdt met middelen die bij gezonde mensen een dergelijk ziektebeeld juist zouden veroorzaken. De patiënt krijgt tincturen voorgeschreven die meestal bestaan uit plantenextracten in een alcoholverdunning. Homeopathie wordt niet gerekend tot de reguliere geneeskunde. Zie hoofdstuk 5.

Hormonale afwijkingen
Veranderingen in de hormoonhuishouding waardoor bijvoorbeeld de menstruatie uitblijft of onregelmatig wordt en de seksuele activiteit afneemt. Zie hoofdstuk 1.

Hypothalamus
Orgaan in de hersenen waarin zich allerlei regulerende centra bevinden en dat onder andere invloed heeft op de emoties, het karakter en het liefdesleven van mensen. Zie hoofdstuk 1.

Irisscopie
Diagnose door middel van bestudering van de iris. Zie hoofdstuk 5.

Kinesiologie
Het bestuderen van de lichamelijke aspecten van beweging. Zie hoofdstuk 5.

Landelijke Organisatie Slachtofferhulp
Organisatie die tracht de hulpverlening aan slachtoffers, onder andere van ongevallen, te verbeteren. Zie hoofdstuk 7.

Letselschade
Schade die het gevolg is van opgelopen letsel. Hieronder wordt zowel materiële schade (ziektekosten, maar bijvoorbeeld ook inkomstenderving), als immateriële schade verstaan. Zie hoofdstuk 7.

Letselschade-advocaat
Advocaat die gespecialiseerd is in het afhandelen van en de juridische bijstand bij letselschadegevallen. Letselschade-advocaten die een gespecialiseerde opleiding hebben gehad en veel ervaring hebben op dit gebied zijn georganiseerd in de LSA, de vereniging van Letselschade-advocaten. Zie hoofdstuk 7.

Libido
Geslachtsdrift.

Limbisch systeem
Systeem van waaruit een groot aantal delen van het centrale zenuwstelsel wordt aangestuurd. Het betreft hier vooral functies die betrekking hebben op emotioneel en seksueel gedrag.

LSA
Vereniging van letselschade-advocaten. Zie hoofdstuk 7 en de adressenlijst.

Magnetisme
Geneeswijze waarbij door middel van 'strijken' de balans in het lichaam wordt hersteld. Magnetisme wordt niet gerekend tot de reguliere geneeskunde. Zie hoofdstuk 5.

Manuele therapie
Therapie waarbij men de gewrichten zodanig manipuleert dat ze terugkeren in de oorspronkelijke stand waardoor ze weer normaal kunnen functioneren. Zie hoofdstuk 5.

ME
Myalgische encephalomyelitis. Chronische ziekte met een aan het whiplash-trauma verwant ziektebeeld. Zie hoofdstuk 3.

Mensendieck
Houdings- en bewegingstherapie, waarvan diverse lichamelijke oefeningen het belangrijkste deel uitmaken. Zie hoofdstuk 5.

Mentaal functioneren
Het functioneren van het denkvermogen.

Metamorfose
Gedaanteverwisseling.

Migraine
Een aanvalsgewijs optredende, kloppende of bonzende, zeer hevige hoofdpijn.

MRI-onderzoek
Kernspinresonantie-onderzoek, waarbij zachte weefsels door middel van sterke magneetvelden onderzocht kunnen worden op eventuele beschadigingen. Zie hoofdstuk 4.

Myografie
Onderzoek naar de spieractiviteit. Zie hoofdstuk 4.

Nationaal Whiplash Fonds
Een fonds dat is opgezet om geld te verzamelen voor onderzoek naar en preventie tegen whiplash-trauma's. Zie hoofdstuk 9.

Natuurgeneeswijzen
Verschillende soorten niet regulier medische geneeswijzen. Zie hoofdstuk 5.

Nekverstuiking
Weinig gebruikte aanduiding voor de whiplash, verwijzend naar blessures aan de gewrichten, die met name bij sporters voorkomen.

Neurologie
Medisch specialisme, gericht op het onderzoek naar hersen-, zenuw-, en ruggemergaandoeningen. Zie hoofdstuk 4.

Neuro-otologisch onderzoek
Onderzoek naar het functioneren van het centraal zenuwstelsel door oogbewegingsonderzoek. Zie hoofdstuk 4.

Neuropsychologie
Medisch specialisme gericht op de relatie tussen psychische en neurologische aandoeningen. Zie hoofdstuk 4.

Non-contact-, acceleratie-deceleratie-hoofd-nek-trauma
Term die in de literatuur soms wordt gebruikt om een whiplashtrauma aan te duiden. Deze term geeft aan welke bewegingen de oorzaak van het letsel zijn. Zie hoofdstuk 1.

NSWP
Nederlandse Stichting Whiplash Patiënten. Zie hoofdstuk 9 en de adressenlijst.

Oculo-motorisch systeem
Oogbewegingspatroon. Zie hoofdstuk 4.

Orthopedie
Specialisme op het gebied van afwijkingen van de beenderen, spieren en gewrichten. Zie hoofdstuk 4.

Osteopathie
Therapie gericht op het losmaken en corrigeren van vastzittende gewrichten. Zie hoofdstuk 5.

Overbuiging
Beschadiging als gevolg van een voorwaartse beweging. Zie hoofdstuk 1.

Overprikkelingssyndroom
Overgevoeligheid voor allerlei prikkels van buitenaf. Gevolgen hiervan zijn onder andere concentratie-, slaap-, en evenwichtsstoornissen. Zie hoofdstuk 5.

Overstrekking
Beschadiging als gevolg van een achterwaartse beweging. Zie hoofdstuk 1.

Paracetamol
Pijnstiller, zonder recept te verkrijgen. Zie hoofdstuk 5.

Paranormale geneeswijzen
Geneeswijzen gebaseerd op de werking van bovennatuurlijke krachten. Zie hoofdstuk 5.

Patholoog-anatomie
Onderzoek op lichamen van overledenen, van groot belang bij het vaststellen en bestuderen van afwijkingen. Zie hoofdstuk 1.

PO-verzekering
Verzekering tegen de gevolgen van persoonlijke ongevallen. Zie hoofdstuk 7.

Raad voor de Verkeersveiligheid
Adviesorgaan dat onderzoek doet en adviezen geeft op het gebied van de verkeersveiligheid. Zie hoofdstuk 7.

Rechtsbijstandsverzekering
Verzekering die juridische bijstand biedt of de kosten daarvan dekt. Zie hoofdstuk 7.

Reflex
Lichamelijke reactie op een prikkel.

Reguliere geneeskunde
Geneeskunde waarbij de toegepaste behandelmethoden gebaseerd zijn op erkend wetenschappelijk onderzoek.

Revalidatie
Samenspel van behandelmethoden die ervoor zorgen dat een patiënt na verloop van tijd weer over zoveel mogelijk van zijn oorspronkelijke capaciteiten kan beschikken. Zie hoofdstuk 5.

Scannen
Verfijnde techniek waarmee allerlei afwijkingen en letsels nauwkeurig in beeld kunnen worden gebracht.

Schadeformulier
Formulier waarop beide partijen na een aanrijding de toedracht en de gevolgen kunnen aangeven. De indeling van dit formulier is in alle Europese landen identiek zodat het ook wanneer de partijen een verschillende nationaliteit hebben eenvoudig kan worden ingevuld. Zie hoofdstuk 7.

Second opinion
Letterlijk: tweede mening. Wanneer men het niet eens is met de beoordeling van een arts, kan men hetzelfde onderzoek laten verrichten door een andere arts, zodat men de geloofwaardigheid van de eerste beoordeling kan vergelijken met de tweede. Zie hoofdstuk 8.

Simuleren
Het voorwenden van niet of nauwelijks bestaande klachten.

Sensorisch
Betrekking hebbend op waarneming door middel van de zintuigen.

Smartegeld
Vergoeding die kan worden toegekend voor niet-materiële schade.

Statolietenonderzoek
Onderzoek door middel van de bestudering van oogbewegingen of evenwichtsreacties om de functie van het statolietensysteem in het evenwichtsorgaan te kunnen bepalen. Zie hoofdstuk 4.

Suïcide
Zelfdoding. Zie hoofdstuk 6.

TBA
Terugdringing Beroep op de Arbeidsongeschiktheidsverzekeringen. Zie hoofdstuk 8.

Transcendente meditatie
Rustgevende meditatietechniek. Zie hoofdstuk 5.

Traumatisch cervicaal syndroom
Medische benaming voor de whiplash. Zie hoofdstuk 1.

Traumatologie
Medisch specialisme in ongevalsletsels. Zie hoofdstuk 4.

Veilig Verkeer Nederland
Vereniging die met uiteenlopende middelen de veiligheid in het verkeer tracht te vergroten. Zie hoofdstuk 7 en de adressenlijst.

Verbond van Verzekeraars
Overkoepelende organisatie van een groot aantal verzekeringsmaatschappijen. Zie hoofdstuk 7 en de adressenlijst.
Vestibulair
Betrekking hebbend op het evenwichtssysteem. Zie hoofdstuk 4.

WAGW
Wet Arbeid Gehandicapte Werknemers. Zie hoofdstuk 8.

WAO
Wet op de arbeidsongeschiktheidsverzekering. Zie hoofdstuk 7 en 8.

WA-verzekering
Verzekering tegen de kosten van wettelijke aansprakelijkheid. Zie hoofdstuk 7.

Whiplash
Versnelde beweging van het hoofd ten opzichte van de romp, waardoor een (tijdelijke) verschuiving van de nekwervels plaatsvindt.

Whiplash Shaken Infant Syndrome
Specifiek whiplash-letsel dat voorkomt bij kleinere kinderen die zeer hevig door elkaar zijn geschud. Zie hoofdstuk 2.

Whiplash-syndroom
Verzamelnaam voor de klachten die het gevolg zijn van het door een whiplash veroorzaakte letsel.

Whiplash-trauma
Letsel als gevolg van een whiplash. Dit kan beschadigingen aan spieren, banden, gewrichten en weke delen betreffen rondom de wervelkolom, waar zich de bloedvaten en zenuwen bevinden.

WULBZ
Wet Uitbreiding Loondoorbetaling Bij Ziekte.

Yoga
Ontspanningsmethode door middel van oefeningen en meditatie. Zie hoofdstuk 5.

Zen-meditatie
Door het boeddhisme geïnspireerde vorm van meditatie, die leidt tot innerlijke rust. Zie hoofdstuk 5.

Zenuwblokkade
(Kunstmatige) onderbreking van de zenuwbaan, waardoorhet bij de betreffende zenuw behorende lichaamsdeel gevoelloos wordt. Zie hoofdstuk 5.

Zweepslag
Nederlandstalige, weinig gebruikte aanduiding voor de whiplash.

Adressen

Patiëntenverenigingen

Nederlandse Stichting Whiplash Patiënten (NSWP)
Postbus 1443
3600 BK Maarssen
tel: 0346-551166
fax: 0346-550581
informatielijn: 06-91681663

Whiplash Vereniging Nederland (WVN)
Postbus 2178
6802 CD Arnhem
tel: 026-3611841
informatielijn: 06-8212146

VZW Whiplash
Postbus 80
2910 Essen 1
België
tel: (00- 32)-3-6630066

Stichting Pijn-Hoop
(organisatie voor mensen met chronische pijn)
Postbus 812
1440 AV Purmerend
Voor telefonische informatie: mevrouw E. Roetering
tel: 072-5119685

Gezondheidszorg

Ministerie van VWS
Postbus 5406
2280 HK Rijswijk
tel: 070-3407911

Departement Welzijn, Volksgezondheid en Cultuur
Markiesstraat 1
1000 Brussel
België
tel: (00-32)-2-5073111

Vereniging van Revalidatiecentra In Nederland (VRIN)
Oudlaan 4
Postbus 9696
3506 GR Utrecht
tel: 030-2739384

Landelijk Overleg van Patiëntenorganisaties voor Alternatieve Geneeswijzen (LOPAG)
Postbus 1212
3500 BE Utrecht
Infolijn: 0592-353405

Stichting Informatievoorziening Alternatieve Geneeswijzen (SIAG)
Postbus 242
9930 AE Delfzijl
Infolijn: 0596-616612
Biedt publieksgerichte voorlichting over alternatieve geneeswijzen

Alliantie van Natuurlijke Geneeswijzen (ANG)
Ruige Velddreef 133
3831 PG Leusden
tel: 033-4944922

Overige adressen

AVO-Integratie Gehandicapten
Postbus 850
3800 AW Amersfoort
tel: 033-4753344

Bond van Gehandicapten en Arbeidsongeschikten (ANIB)
Postbus 48
1960 AA Heemskerk
tel: 0251-253434

Voorkom nekletsel (secretariaat)
Postbus 61
3720 AB Bilthoven
tel: 030-2280814

Algemene Landelijke Federatie Minder-Validen
Postbus 83
9530 AB Borger
tel: 0599-671540

Landelijk WAO-beraad (LWB)
Vereniging voor arbeidsongeschikten en andere uitkerings-gerechtigden
Kaap Hoorndreef 56
3563 AV Utrecht
tel: 030-2611300/2611303

Veilig Verkeer Nederland
Postbus 423
1270 AK Huizen
tel: 035-5248851

Belgisch Instituut voor Verkeersveiligheid
Haachtse Steenweg 1405
1130 Brussel
België
tel: (00-32)-2-2441511

Stichting Bescherming Verkeersslachtoffers (SBV)
Postbus 87896
2508 DG Den Haag
tel: 070-3554664
Voor gratis advies begeleiding van verkeersslachtoffers op medisch en medisch-juridisch terrein, bij schriftelijke aanvragen gaarne postzegel meezenden

Stichting Waarborgfonds Motorverkeer
Geestbrugkade 32
Postbus 3003
2280 MG Rijswijk
tel: 070-3906683

Studie- en vakbibliotheek voor visueel en anderzins gehandicapten (SVB)
Molenpad 2
1016 GM Amsterdam
tel: 020-6266465

Toegankelijke media voor mensen met een leeshandicap (CGL)
(kranten en tijdschriften in aangepaste vorm)
Postbus 24
5360 AA Grave
tel: 0486-486486

Grote Letter Bibliotheek (voornamelijk romans)
Rijksstraatweg 125
1396 JJ Baambrugge
tel: 0294-293220

Informatie en klachten

Landelijk Informatiepunt voor Patiënten (LIP)
Postbus 9101
3506 GC Utrecht
tel: 030-2661661
Voor algemene patiënteninformatie en -rechten en voor verwijzing bij klachten over de medische behandeling

Nationale Ombudsman
Stadhoudersplantsoen 2
Postbus 29729
2502 LS Den Haag
tel: 070-3563563
Alleen voor klachten die te maken hebben met overheidsinstanties of zelfstandige instanties die overheidstaken uitvoeren, maar niet rechtstreeks vallen onder de verantwoordelijkheid van een minister, zoals het GAK Nederland en de bedrijfsverenigingen

Verbond van Verzekeraars
Groothertoginnelaan 8
2517 EG Den Haag
Postbus 990
2501 CZ Den Haag
tel: 070-3614731

Rechtshulp

Vereniging van Letselschade Advocaten 0172-447076.
p/a Mr. M. Dijkstra
Postbus 11756
2502 AT Den Haag
tel: 070-3488700

Landelijke Organisatie Bureau voor Rechtshulp (LOB)
Torenstraat 172
2513 BW Den Haag
tel: 070-3560620

Belgische Nationale Orde van Advocaten
Huis van de Advocaat
Guldenvlieslaan 65
1060 Brussel – België
tel: (00-32)-2-5346773

Letselschade Groep Nederland
Strawinskylaan 923
1077 XX Amsterdam
tel: 020-6622626

Literatuur

J. Dekker (et al), *Pijn, kwaliteit van leven en chronische ziekte*, Amsterdam, Swets en Zeitlinger, 1992.

Paul van Dijk, *Geneeswijzen in Nederland*, Deventer, Ankh Hermes, 1986.

A. Fischer, H. Kingma en J. Patijn (red.), *Het Whiplash-probleem*, Utrecht, A.W. Bruna, 1992.

G.T. Haneveld, *Spreekuur thuis, Hoofdpijn*, Weert, M & P, 1992.

Karin Hubbeling, *De hoofdpijnhulp*, Alkmaar, Homeovisie, 1989.

Margot van Hummel, *Whiplash*, Kampen, La Riviere & Voorhoeve, (In voorbereiding).

Informatieblad NSWP, (uitgave NSWP), Maarssen, 1994.

Handicap en chronische ziekte, beleid en praktijk van de dienstverlening, Utrecht, De Tijdstroom, 1995.

Medische staf Intermet (red.), *Nekklachten*, Utrecht, Het Spectrum, 1984.